1. Très chères mamans
2. Modèles réduits
3. Cookies Délices
4. Sens dessus dessous
5. Disco Spies
6. Le cirque de la peur

Totally Spies!

La Totally compil'

Nom de code :
Sammie, pour les
intimes
Look : des robes, des
fleurs… des robes à fleurs !
Passion : les livres, encyclopédies
et dicos en tout genre
Arme secrète : son cerveau (c'est une tête !)
La phrase qui tue : « Bizarre, bizarre… »

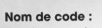

Nom de code :
Petite sœur
Look : sportive, mais
toujours à la mode
Passion : les arts martiaux
Arme secrète : sa gentillesse
(et aussi son coup de pied retourné imparable)
La phrase qui tue : « Spies pour une,
toutes pour les Spies ! »

Nom de code :
la Tueuse (de
garçons, bien sûr)
Look : toujours à la
pointe de la mode
Passion : le shopping… (et les garçons, bien sûr)
Arme secrète : son charme irrésistible
La phrase qui tue : « Il faut que je trouve une
tenue pour samedi. »

Jerry

Nom de code : notre chef bien-aimé
Look : hum… Costume, cravate, moustache (une catastrophe !)
Passion : les Spies
Arme secrète : sa moustache ?
La phrase qui tue : « Un peu de sérieux, les filles. »

Gladis

Nom de code : Gadget, Location, Assistance, Dépannage à Intelligence Synthétique (comprenne qui pourra !)
Look : métallique (avec des boutons qui clignotent, attention !)
Passion : la robotique, évidemment
Arme secrète : des bras articulés qui surgissent quand on s'y attend le moins
La phrase qui tue : « Pour cette mission, vous serez équipées d'un système anti-gravitationnel à neutrons auto-propulsé… »

Totally Spies!™

Très chères mamans

Chapitre 1

10 h 30
Centre commercial de Beverly Hills

Tout a commencé un samedi. Pas n'importe quel samedi, la veille de la fête des Mères, pour être exacte. Alex, Clover et moi, nous étions en mission spéciale au centre commercial. Cette fois-ci, il ne s'agissait

pas d'arrêter de gros méchants qui voulaient prendre le contrôle du monde, non, pas du tout. C'était bien pire : nous devions trouver des cadeaux pour nos gentilles mamans ! Et croyez-moi, ce n'était pas simple...

Nous avions déjà essayé la librairie *Tatoulu,* la parfumerie *Kissenbon, Le Royaume de la ménagère* et *L'Île aux chocolats* sans rien trouver. Pas la moindre petite idée de cadeau !

En sortant de *La Maison de l'aspirateur,* Clover s'est figée net devant une vitrine.

— Wouaaah ! Qu'est-ce que vous pensez de ces adorables bottes de moto, les filles ?

Alex a écarquillé les yeux.

— Ça va pas, Clover ! Le cuir

clouté, ce n'est pas du tout le style de ta mère !

— Bien sûr, c'est à moi que je pensais les offrir, voyons.

— Ah, d'accord... Ouais, sur toi, ça ferait rockeuse. Trop top !

J'ai dû intervenir :

— Hé, les miss ! On fera du shopping un autre jour. On est censées acheter des cadeaux pour la fête des « mômans », je vous rappelle !

Clover a soupiré, complètement découragée :

— Je sais, mais c'est carrément mission impossible. Ma mère et moi, on n'a pas du tout les mêmes goûts.

— M'en parle pas, a renchéri Alex. La mienne m'a dit que la seule chose qui lui ferait plaisir, c'est que je me trouve un petit copain. T'imagines ?

J'ai pris mes deux amies par les épaules.

— Du calme, les filles ! De grandes espionnes comme nous ne se laissent pas abattre pour si peu. Il faut faire simple et pratique. Voyons voir... Tenez, voici le cadeau idéal !

Je me suis arrêtée devant un mannequin qui portait un superbe

ensemble ciré, bottes et chapeau jaune citron.

Alex a cru que je plaisantais :

— Ah bon, tu veux lui offrir le déguisement de Titi le canari ?

Clover, la reine de la mode, a secoué la tête.

— Je ne trouve même pas les mots. C'est informe, c'est immonde... c'est monstrueux !

Du coup, je ne savais plus quoi dire. Vexée, j'ai marmonné :

— C'est pourtant le genre de cadeau qui plairait à ma mère.

Nous sommes reparties en traînant les pieds, quand, soudain, au détour d'une allée, notre chère Alex a glissé sur quelque chose. Elle s'est rattrapée à nous en criant:

— Hé, qui a laissé traîner une peau de banane ?

Je ne sais pas si c'était de l'humour ou si elle croyait vraiment qu'il pouvait y avoir une peau de banane par terre, au beau milieu de notre magnifique centre commercial ! Connaissant la crédulité d'Alex, je pencherais pour la deuxième solution.

— Mais non, c'est un prospectus, ai-je expliqué. Lis-le pour voir.

— « Pour la fête des Mères, offrez un cadeau royal à votre maman : un week-end de rêve dans notre luxueux centre de remise en forme des îles du Pacifique. »

— Un week-end sur une île ? a répété Clover. Ça, c'est une idée géniale !

— Ouais, on pourrait y aller toutes ensemble, a proposé Alex.

— Alors c'est réglé ! ai-je décidé.

En avant pour un super week-end mères-filles !

Mais juste au moment où je prononçais ces mots, le sol s'est ouvert sous nos pieds... En tombant dans le vide, j'ai hurlé :

— On voit ce que Jerry veut nous dire et on file réserver...

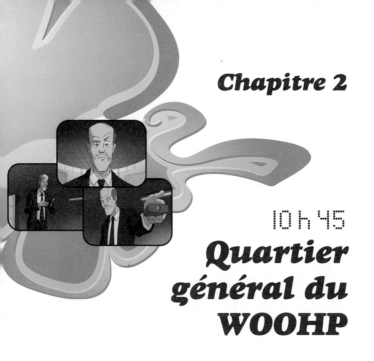

Chapitre 2

10h45
Quartier général du WOOHP

Comme d'habitude, nous avons atterri en vrac sur la banquette rose du WOOHP.

En se redressant tant bien que mal, Clover a gémi :

— Beurk, j'ai mal au cœur.

— Simple syndrome de désorien-

tation post-transitionnel, a expliqué Jerry d'un ton savant.

Alex s'est gratté la tête.

— Ah bon ? Chez moi, on
appelle ça avoir le tournis.

Notre chef bien-aimé a haussé
un sourcil, vexé. Il est très suscepti-
ble. Il faut dire qu'on le taquine
assez souvent, mais on l'aime bien,
notre Jerry.

Enfin bref, j'avais hâte de savoir

pourquoi il avait interrompu notre séance de shopping.

— Alors, où allez-vous nous envoyer, cette fois-ci ? ai-je demandé.

— Nulle part. Je voulais juste vous informer que je partais en Angleterre souhaiter une bonne fête à ma maman.

Clover a écarquillé les yeux.

— C'est pas possible ! J'y crois pas !

Jerry a posé une main rassurante sur son épaule.

— Ne vous inquiétez pas, Clover, tout ira bien. C'est l'affaire de quelques jours seulement. Je reviens vite !

— Non, ce que je voulais dire, c'est que je n'imaginais pas que vous puissiez avoir une mère. Vous, notre bon vieux chef...

Jerry a toussoté :

— Hum, il ne faut rien exagérer, je ne suis pas si vieux que ça... Ah, excusez-moi, j'ai un appel.

En effet, une sonnerie assourdissante s'est fait entendre. Jerry a sorti un gros portefeuille en cuir de sa poche.

— C'est quoi, ça ? s'est étonnée Alex.

— Mon porte-phone. Vous ne croyez tout de même pas que j'ai un com-poudrier, non !

Jerry a ouvert l'engin qui était conçu comme un com-poudrier mais en forme de portefeuille, avec un écran et des touches d'un côté, des cartes de crédit de l'autre. Aussitôt, une voix stridente nous a transpercé les tympans :

— Allô, Jerry ? Je peux savoir où

tu es ? Il me semble que tu devrais déjà être dans l'avion !

Notre chef vénéré s'est mis à bafouiller nerveusement :

— Je suis encore au travail, maman. Je pars dans une minute.

— Eh bien, dépêche-toi, mon poussin ! Et n'oublie pas de me ramener un peignoir de bain du *Jerry's Hotel.* Je compte sur toi.

— Oui, maman, j'y penserai. Allez, à ce soir.

Il a refermé le porte-phone d'un coup sec, tout gêné. Qu'est-ce que c'était que cette histoire ?

— « *Le Jerry's Hotel* » ? ai-je répété d'un air interrogateur.

— Euh, oui, c'est une couverture pour garder secrète mon identité d'agent... secret. J'ai raconté à ma mère que je tenais un hôtel à Beverly Hills.

Alors ça, c'était la meilleure ! Sacré Jerry ! Nous étions pliées de rire.

Clover s'est levée et a pris une voix d'hôtesse d'accueil :

— Bonjour, Jerry et son équipe vous souhaitent la bienvenue au Jerry's Hôtel ! Nous espérons que vous passerez un agréable séjour.

Notre chef a toussoté, mal à l'aise :

— Eh bien, je suis heureux que vous me trouviez drôle, pour une fois. Bon, au revoir, mesdemoiselles, nous nous retrouverons dans

quelques jours.

Il a brandi une télécommande et, comme d'habitude, il a appuyé sur un gros bouton rouge pour nous congédier... sauf que, cette

fois-ci, c'est lui qui a été aspiré ! Le sol s'est ouvert sous ses pieds et il a disparu en hurlant :

— Aaaaaaaaaahhhhh ! ! !

Le pauvre ! Encore que, finalement, c'est peut-être bien qu'il expérimente lui aussi les méthodes de transfert un peu brutales du WOOHP.

Clover a soupiré :

— Décidément, quelque chose ne tourne pas rond aujourd'hui. D'abord, Jerry nous convoque pour rien et, ensuite, c'est lui qui passe à la trappe !

— Ouais, c'est vraiment le monde à l'envers ! a confirmé Alex en se levant. Allez, on y go ?

Je l'ai retenue par la manche.

— Ça ne va pas ! On ne va pas partir si vite, pour une fois qu'on

est toutes seules dans l'antre du grand chef.

J'ai fait coulisser un panneau mural derrière le bureau de Jerry : l'armoire aux gadgets !

— Profitons-en, la caverne d'Ali Baba est à nous !

Génial, nous pouvions essayer les dernières inventions du WOOHP

en toute liberté. Il y en avait des centaines ! Des armes, des radars, des scanners... Toutes sortes de merveilles technologiques de pointe camouflées en accessoires super tendance.

— Je prends la bombe barrette papillon ! a décidé Clover.

— Et moi, le pendentif microprocesseur cinq carats ! ai-je annoncé.

Alex hésitait encore. Finalement, elle a fourré dans sa poche un paquet de Spyliwood à la fraise.

— Miam-miam, des chewing-gums... C'est pas un gadget, mais j'adore ça !

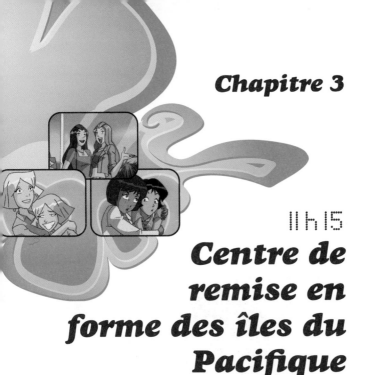

Chapitre 3

11h15
Centre de remise en forme des îles du Pacifique

Pour notre cadeau de fête des
Mères, nous avions tout prévu,
même les foulards pour bander les
yeux de nos mamans. Il ne fallait
pas qu'elles devinent où on allait !
Arrivées à destination, nous les
avons enfin autorisées à enlever les

bandeaux. Et là, surprise ! Le soleil, la plage, les cocotiers, bref, le paradis sur Terre ! Elles n'en revenaient pas. En plus, le centre de remise en forme était un véritable palace.

Ma mère s'est jetée dans mes bras.

— Oh merci, Sammie ! C'est grandiose.

La mère d'Alex et celle de Clover étaient conquises elles aussi. Elles n'arrêtaient pas de répéter :

— Quel endroit splendide ! C'est merveilleux ! Merci, les filles !

Il faut dire qu'il y avait de quoi s'extasier : grand hall de marbre, lustres en cristal, salle de sport, centre de massage, sauna, hammam, bain à remous, bain de boue, trois piscines à l'extérieur, deux à l'intérieur...

Alors pourquoi attendre plus longtemps ?

— Allez, tout le monde en maillot ! s'est écriée Clover.

Nous avons testé toutes les piscines : le petit bain, le grand bain, le bain bouillonnant, la piscine à vagues, le bain chaud, le bain froid... Mais, au bout d'un mo-

ment, ma maman chérie en a eu assez de l'eau.

— J'aimerais bien faire un peu autre chose, tu comprends.

Non, je ne comprenais pas du tout. Je serais bien restée à barboter avec mes copines, moi.

— Si on allait faire un petit tour de VTT ? m'a-t-elle proposé. J'ai vraiment envie de découvrir ce paysage paradisiaque.

J'ai accepté à contre-cœur. J'ai laissé Clover et sa mère se prélasser dans un bain de boue, tandis qu'Alex et sa maman allaient se faire masser le dos. La chance ! Mais bon, c'était la fête des Mères et je voulais faire plaisir à ma « môman ».

Pour couronner le tout, elle m'a traînée à la boutique du centre

afin de m'acheter une armure anti-chocs complète.

— On ne plaisante pas avec la sécurité, Sammie. Il te faut un casque avec protège-menton, des protège-coudes et des protège-chevilles...

— Arrête, maman ! ai-je protesté. C'est ridicule. Je vais ressembler à un robot !

— On ne sait jamais, Sam, a-t-elle

répliqué. Un accident est si vite arrivé. Mieux vaut prévenir que guérir, comme on dit.

Sur ce, elle a filé dans les vestiaires pour remplir ma gourde en expliquant :

— Je vais chercher de l'eau. On ne sait jamais, je ne voudrais pas que tu te déshydrates...

Quand elle est revenue, dix minutes plus tard (je commençais à suer, moi, sous ce déguisement), nous sommes parties à la découverte de l'île.

— Oh, c'est splendide, Sam ! s'exclamait-elle à chaque détour de chemin.

Puis nous sommes arrivées tout en haut d'une falaise... et là, elle a complètement perdu la tête : elle m'a poussée dans le vide !

Aaaaaaaaaaaah ! Quelle chute !
Je me suis rattrapée de justesse à
une branche. Et vous savez ce
qu'elle a eu le culot de me dire ?
Qu'elle avait fait un faux mouve-
ment !

Chapitre 4

12h30
Chambre de Sam et de Gaby, sa mère

Il fallait que je prévienne mes amies d'urgence. Ma mère avait quand même essayé de me tuer !

Pendant que cette chère maman était sous la douche, je suis sortie sur le balcon et j'ai appelé Alex et Clover avec mon com-poudrier.

C'est pratique, on peut parler à trois.

— Allô, la police ? ai-je fait. J'ai un gros problème.

Alex, qui a du mal à comprendre mon humour, a répondu :

— Qu'est-ce que tu racontes, Sammie ? C'est pas la police, c'est moi, Alex. Ça va ?

— Ça allait, oui... jusqu'à ce que

ma mère me pousse « accidentelle-ment » dans le vide.

Clover est alors intervenue :

— Ta mère aussi est devenue folle ? C'est une épidémie, ma parole. Tout à l'heure, la mienne a essayé de me noyer « accidentelle-ment » dans le bain de boue.

Je me suis empressée de deman-der :

— Et la tienne, Alex ? Elle n'a pas eu un comportement bizarre ?

— Pas vraiment... sauf peut-être quand elle a « accidentellement » fait passer ma table de massage par la fenêtre ! J'ai atterri pile sous les roues d'un camion.

— OK, état d'urgence maximale, ai-je décrété. Rendez-vous dans le hall d'entrée dans cinq minutes, les filles.

Parfois, ça énerve un peu Clover et Alex que je me prenne pour la chef des Totally Spies. Pourtant, là, elles ont répondu d'une seule voix :

— Compris.

J'ai refermé mon com-poudrier d'un coup sec, mais alors que je me dirigeais vers la porte, ma mère m'a barré le passage !

— Où vas-tu comme ça ?

Elle a essayé de me flanquer un coup d'oreiller pour m'assommer. Elle ne savait pas qu'on ne vient pas aussi facilement à bout d'une Spies ! Deux ou trois prises de kung-fu de ma spécialité et ma

gentille « môman » s'est retrouvée
au tapis.

— Désolée, ai-je murmuré, il faut
que je file !

Et j'ai couru rejoindre les autres
dans le hall de l'hôtel.

Elles sont arrivées aussi essouf-
flées que moi. Comme moi, elles
avaient dû se battre avec leur mère
pour réussir à sortir de leurs chambres.

— Vous allez bien, les filles ? ai-je demandé.

Clover a haussé les épaules.

— Oui, bien sûr, c'est seulement la deuxième fois que ma mère m'attaque aujourd'hui !

— On ferait bien d'appeler Jerry, ai-je décidé. Il pourra peut-être nous dire pourquoi nos mères veulent se débarrasser de nous.

Le problème, c'est que, lorsqu'on a appelé Jerry sur son porte-phone, il n'avait pas l'air très disponible pour nous aider. Tout de suite, j'ai crié :

— Allô, Jerry, c'est nous ! Vous n'allez jamais croire ce qui nous arrive...

Mais là, j'ai entendu une voix derrière lui. Sa mère tapait à la porte en grommelant :

— Jerry, viens manger. Ta soupe va refroidir ! Qu'est-ce que tu fabriques enfermé dans les toilettes ?

— Rien du tout, maman, a-t-il bafouillé. Je discutais avec le personnel de mon hôtel.

Puis il s'est adressé à nous (ou plutôt à un employé imaginaire) :

— Combien de fois faudra-t-il

vous le répéter ? Avec le café, on donne un seul chocolat par client ! Maintenant, ne me dérangez plus !

Et paf ! il nous a raccroché au nez. Sympa, notre chef bien-aimé !

— Bon, je crois que Jerry ne peut nous être d'aucune aide. On va devoir se débrouiller toutes seules, les filles, ai-je conclu en refermant mon com-poudrier.

Chapitre 5

12h45
Hall du centre de remise en forme

Comme d'habitude, j'ai pris les choses en main. Nous avons tenu un véritable conseil de guerre dans le hall de l'hôtel.

— Bon, récapitulons... Quand nous sommes arrivées ici, nos mères étaient tout à fait normales.

Elles ont brusquement changé au milieu de la matinée...

— Oui, maman est allée se laver les mains et, quand elle est revenue, elle a essayé de me noyer dans le bain de boue, a expliqué Clover.

— Moi, j'étais tranquillement en train de me faire masser lorsqu'elle m'a annoncé qu'elle voulait prendre une douche, a enchaîné Alex. Et puis, là, en sortant des vestiaires, elle s'est jetée sur moi...

— Les vestiaires ! me suis-je exclamée. C'est après être passées aux vestiaires qu'elles ont changé de comportement. Avant qu'on parte faire notre ballade en VTT, la mienne est allée remplir ma bouteille... dans les vestiaires !

Tout à coup, j'ai eu une idée

géniale. J'ai connecté mon com-poudrier au service de vidéo-surveil-lance du centre de remise en forme. Une caméra filmait tout ce qui se passait dans chaque pièce. J'ai rem-bobiné ce qu'avait enregistré celle des vestiaires. Nous avons vu nos mères entrer tour à tour dans ces fameux vestiaires... et être aspirées à l'intérieur d'un placard !!!

J'ai repassé ces images plusieurs fois sur l'écran... jusqu'à ce que je remarque un détail.

— Une petite minute : nos mères ne portaient pas de fleurs au poignet avant d'entrer dans le placard. Il faut qu'on trouve à quoi sert ce bracelet.

C'était un bijou rose et mauve, un peu comme une montre, sauf qu'à la place du cadran, il y avait une fleur.

— Il est plutôt joli, je trouve, a commenté Clover. Il irait bien avec ma petite robe.

— À mon avis, il n'est pas si inoffensif qu'il en a l'air. Il faut qu'on aille voir ça de plus près, ai-je décidé.

Alex a gémi, désespérée :

— Argh, c'est bien ce que je craignais. Finies les vacances !

Bah ! Pour des espionnes aussi douées que nous, ce n'était pas si difficile. Nous sommes montées sur le toit de l'hôtel, juste au-dessus de la chambre de Clover et de Stella, sa chère maman.

Par le vasistas, nous avons entendu nos mères discuter comme si de rien n'était en préparant un pique-nique :

— Ma petite Alex adore les sandwichs au beurre de cacahouète. Et elle va raffoler de ce petit assaisonnement spécial. Gaby, tu veux bien me passer la confiture au concentré de TNT ?

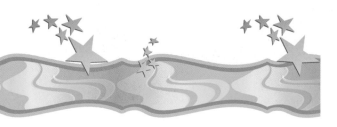

— Avec plaisir, Carmen. Un bon explosif, ça donne la pêche. Quand elles vont manger ça, elles vont sauter... de joie ! a répondu ma maman chérie.

Je n'en revenais pas.

— Moi qui la trouvais un peu trop mère poule ! ai-je murmuré.

Et là, elle a ouvert le panier de

pique-nique pour y fourrer une longue chaîne en métal et des menottes, en expliquant :

— Juste au cas où ces petites pestes essaieraient de nous résister.

Bon, j'en avais assez vu. C'était le moment ou jamais de tester mon pendentif microprocesseur cinq carats.

Je l'ai délicatement fait glisser par la fenêtre entrouverte, afin qu'il analyse les ondes émises par ces mystérieux bracelets-fleurs.

Lorsque je l'ai remonté, j'ai soupiré :

— C'est bien ce que je craignais, les bracelets captent une sorte de signal. Nos mères sont comme téléguidées, mais par quoi ou par qui ? Il faut qu'on le découvre. Et vite !

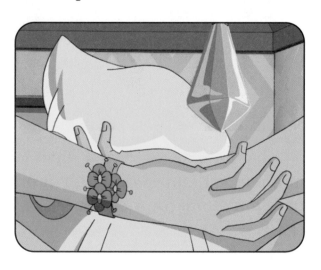

— Il suffit de remonter à la source du signal, a affirmé Clover. Ton pendentif machin-chose peut nous y aider ?

—J'espère...

Chapitre 6

13h00
Une petite route sur la côte pacifique

Nous avons loué une voiture à la réception de l'hôtel pour inspecter les environs et essayer de trouver l'émetteur du signal. Le pendentif microprocesseur indiquait que nous approchions de la source.

Mais, alors qu'on longeait la mer, un gros camion s'est mis à nous coller. Et à donner des grands coups dans notre voiture, comme s'il voulait nous faire sortir de la route !

— Au secours ! Qu'est-ce qui lui prend ? a hurlé Alex, qui se cramponnait au volant.

Clover s'agrippait tant bien que mal à la banquette arrière en pestant :

— Ça va pas ! Il a eu son permis dans une pochette-surprise ou quoi ? Qui c'est, ce chauffard ?

Quand le camion est arrivé à notre hauteur, nous avons eu la réponse : le chauffard en question n'était autre que Carmen ! Et, à côté d'elle, maman et Stella riaient comme des folles.

— J'aurais dû m'en douter : il n'y a qu'une seule personne qui soit plus dangereuse au volant qu'Alex, c'est sa mère ! s'est exclamée Clover.

— Accélère ! ai-je ordonné. Peut-être qu'on pourra les semer.

Alex a enfoncé la pédale d'accélérateur, la voiture a fait une embardée et... aaaaaaah !

Le trou noir !

Lorsque je me suis réveillée, je ne savais plus du tout où j'étais. J'ai aperçu ma mère, tendrement penchée au-dessus de moi.

— Ah, maman, ai-je murmuré, tu es là ! C'est affreux, j'ai rêvé que tu voulais me tuer.

— Ne t'inquiète pas, Sammie chérie. Bientôt, tu ne feras plus de mauvais rêves. Je te promets que tu dormiras en paix... dès que j'aurai réussi à me débarrasser de toi.

Ah, donc, ce n'était pas un cauchemar. J'ai essayé de me relever, mais j'avais les pieds et les mains liés... et mes amies aussi. Nous étions toutes les trois à la merci de nos chères mamans, ligotées comme des saucissons !

— Vous pourriez au moins nous

dire qui a manigancé tout ça ? ai-je demandé.

Comme pour répondre à ma question, un homme en costume noir est soudain sorti de l'ombre...

— Tim Scam ! avons-nous hurlé en chœur.

Nous n'étions pas vraiment ravies ravies de le revoir. Ce monstre ne nous rappelait pas de bons souvenirs. C'était une mission vieille de

deux ans, et pas la plus facile : Tim Scam avait kidnappé Jerry pour prendre le contrôle du WOOHP mais, heureusement, nous l'avions arrêté juste à temps.

— Vous n'êtes pas en prison ? s'est étonnée Clover.

Tim Scam a éclaté d'un rire sinistre.

— J'y ai passé un moment, en effet, mais ce qu'il y a de bien en prison, ma petite, c'est qu'on a largement le temps de préparer son évasion... et de mijoter sa vengeance !

— Alors, si j'ai bien compris, ai-je récapitulé, votre plan, c'était d'utiliser nos mères pour faire le sale boulot à votre place ? Quelle lâcheté !

— Effectivement, c'est moi qui ai

inventé ces fleurs de contrôle mental. J'étais sûr que de gentilles fifilles comme vous se jetteraient sur l'offre de mon prospectus.

Alex avait l'air outrée.

— Ça alors ! Je n'arrive pas à croire qu'on ait laissé un monstre pareil entrer dans notre centre commercial !

Tim a pris nos mères par les épaules.

— Vos mamans ont vraiment été très efficaces. En fait, j'ai presque envie de les embaucher à temps complet.

Clover s'est redressée, furieuse.

— Jamais ma mère ne voudrait travailler pour vous !

— Ah non ? Eh bien, c'est ce que nous allons voir !

Il s'est tourné vers la mère de Clover.

— Stella, enfermez donc votre fille dans le sauna, puis venez chez moi, j'ai un peu de repassage à vous confier.

— Tout ce que tu voudras, mon petit Timmy.

Tim n'a eu qu'un mot à dire et, une par une, nos mères nous ont attrapées par un bras... pour nous jeter dans le sauna !

— Arrête, maman ! ai-je protesté. Tu n'es pas dans ton état normal !

— Mamounette ! Je te promets que je serai sage ! a hurlé Alex.

Mais rien à faire : elles ont verrouillé la porte et réglé le thermostat sur la température maximum.

— Profitez-en bien, les filles, a lancé la mère de Clover. C'est la dernière fois qu'on vous fait suer, promis !

Et elles nous ont abandonnées dans cette fournaise.

Alex retenait ses larmes. D'une voix tremblante, elle a murmuré :

— Mais... on est trop jeunes pour partir en fumée !

Comme d'habitude, j'ai pris les choses en main :

— Ne paniquez pas, les filles ! Il doit bien y avoir un moyen de sortir de là.

Nous avons poussé la porte de toutes nos forces... mais elle n'a pas bougé d'un millimètre.

— C'est l'horreur ! Je transpire, je transpire, ma petite robe va être fichue ! a râlé Clover.

Alex s'est laissée tomber sur le banc, complètement découragée. Elle a fourré un Spyliwood à la fraise dans sa bouche en marmonnant :

— Je m'en veux, si seulement

j'avais pris un vrai gadget dans le bureau de Jerry !

Elle mâchonnait mécaniquement quand, soudain, son chewing-gum a fait une petite bulle, qui s'est mise à grossir, grossir, grossir.

Clover s'est retrouvée plaquée contre la paroi en bois.

— Alex ? Qu'est-ce que tu fais ? Tu ne trouves pas qu'on manque déjà assez d'air comme ça ?

— C'est pas moi, la bulle gonfle toute seule !

La bulle a tellement gonflé qu'elle a explosé... et le sauna avec ! BOUM !

Nous nous sommes retrouvées étalées par terre parmi les débris de la petite cabane de bois, légèrement sonnées.

— Tout compte fait, je préfère quand Jerry nous explique le fonctionnement des gadgets, a constaté Clover.

Nous étions empêtrées dans les restes de chewing-gum mâchouillé mais peu importe, nous étions libres.

— Venez, les filles ! ai-je crié. Ça va chauffer pour Tim Scam, maintenant !

Chapitre 7

15 h 00
Repaire de Tim Scam

Les Spies sont passées à l'action :
il était temps ! Heureusement,
j'avais emporté mon sac à dos propulseur au cas où (je suis très pré-
voyante, comme ma mère). J'ai
pris les filles par la main en priant
pour que le moteur soit assez puis-

sant pour nous soulever toutes les trois. Et hop ! nous nous sommes envolées vers le repaire de Tim Scam. Grâce au pendentif micro-processeur, nous n'avons eu aucun mal à le localiser.

— Le signal est de plus en plus fort, ai-je annoncé. On ne doit plus être loin.

— Tant mieux parce que mon bras va bientôt se détacher de mon épaule ! a grommelé Clover.

C'est vrai que la position n'était pas des plus confortables... Et puis, mes amies ont beau surveiller leur ligne, elles pèsent tout de même leur poids !

— Je vois quelque chose, là, dans la montagne ! s'est écriée Alex.

En effet, Tim Scam avait installé son QG dans une grotte.

Lorsque nous sommes arrivées, il était confortablement allongé dans une chaise longue tandis que nos mères s'activaient autour de lui. Il n'arrêtait pas de leur donner des ordres :

— Stella, apportez-moi un autre verre de jus d'orange ! Gaby, vous avez fini la vaisselle ?

Mais quand il nous a vues, à l'entrée de la grotte, il a écarquillé les yeux.

— Carmen, vous passerez l'aspi... QUOI ? Qu'est-ce que vous faites là ? Vous êtes encore en vie ?

— Oui, et nous sommes venues pour vous raccompagner gentiment dans votre cellule, a annoncé Alex.

Vert de rage, il s'est tourné vers nos mères.

— Débarrassez-vous d'elles une bonne fois pour toutes, et vite !

Elles ont aussitôt interrompu leur ménage pour s'avancer vers nous, armées de casseroles, balais et autres ustensiles.

— Arrête, maman. Ne m'oblige pas à te faire mal, a menacé Clover.

— Comment ? a fait Stella d'un air outré. Tu oserais t'attaquer à ta propre mère ?

— À ma vraie mère, non. Mais à celle qui a pris le contrôle de toi, oui, sans hésiter.

Et là, elles se sont jetées sur nous. Elles étaient déchaînées ! En tant qu'espionnes, nous avions déjà combattu les pires malfaiteurs... mais j'avoue que nos adorables

mamans se débrouillaient pas mal. Et vlan ! un coup de poêle à frire ! Et paf ! un croche-patte avec le manche à balai ! Elles étaient vraiment décidées à nous éliminer. Enfin, il en faut plus pour effrayer une Spies. Au WOOHP, nous avons reçu un entraînement top niveau de toutes les techniques de self-défense.

Mais alors que nous étions en train de régler son compte au gang des Méchantes Mamans, Alex a crié :

— Sam ! Tim Scam essaye de s'échapper !

Vite, je me suis lancée à sa poursuite. Lancée, c'est vraiment le cas de le dire : avec mon sac à dos propulseur, j'ai décollé comme une fusée et j'ai rattrapé le fuyard par la peau du cou.

— Ça ne vous dérange pas que j'emprunte la télécommande des bracelets, Timmy ? ai-je demandé. Je suis curieuse de voir ce qui se passe quand on change la fréquence.

Je lui ai pris l'appareil des mains et j'ai tourné le gros bouton noir.

— Non, non, ne faites pas ça ! Au secours ! suppliait Tim Scam.

Et il avait raison de s'inquiéter. Car dès que j'ai eu inversé le signal des bracelets-fleurs, nos mères se sont retournées contre lui.

Stella l'a saisi par l'oreille.

— Timmy a été très vilain !

— Aaaah ! Ne me touchez pas !

— En voilà des façons de parler aux grandes personnes ! a grondé Gaby. On va te laver la bouche au savon noir !

Nous l'avons laissé quelques minutes aux mains de nos très chères mères, histoire de lui donner une bonne leçon. Puis nous avons appelé les agents du WOOHP pour qu'ils viennent le chercher.

— Bon, il est peut-être temps de libérer nos mères, ai-je proposé. Qu'est-ce que vous en pensez ?

Nous avons arraché les bracelets

qui les téléguidaient et, comme par magie, Stella, Gaby et Carmen sont redevenues nos mamans chéries. Nous nous sommes jetées à leur cou. C'était si bon de les retrouver comme avant !

Elles ont eu un peu de mal à comprendre pourquoi on les serrait si fort dans nos bras et surtout

ce qu'on fabriquait dans cette grotte.

— Euh... nous sommes en excursion, a expliqué Clover.

— Mais qui c'est, celui-là ? lui a demandé sa mère en montrant Tim Scam.

— Ben... c'est... c'est un guide

touristique, a bafouillé Alex. Il nous a fait visiter l'île.

— Dis donc, il est plutôt mignon ! s'est exclamée sa mère. Il ne te plaît pas, chérie ?

— Ma-man ! Allez, ça suffit pour aujourd'hui, on rentre !

Épilogue

18 h 30
Quartier général du WOOHP

Finalement, tout est rentré dans l'ordre. Grâce aux Spies, une fois de plus. Tim Scam était sous les verrous et nos mamans avaient passé une excellente fête des Mères (nous moins, mais bon, tant pis...). Jerry nous a même convo-

quées au WOOHP pour nous féli-
citer :

— Bravo, mesdemoiselles. Encore
un succès !

— Merci, Jerry. Et vous, comment s'est passé votre week-end en
Angleterre ? ai-je poliment demandé.

Notre grand-chef s'est mordillé
la lèvre sous sa moustache.

— Hum... euh... Très bien, très bien. Ma mère était ravie de me voir. Elle est même revenue à Beverly Hills avec moi. Attention, j'ai mis les choses au point : à mon âge, on ne se laisse pas dicter sa conduite par sa maman.

Les filles et moi, nous avons hoché la tête.

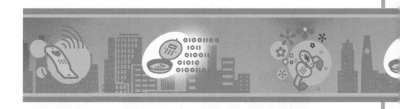

Mais soudain, le porte-phone de Jerry a sonné. Il a répondu d'une voix étouffée :

— Allô, maman ?

— Jerry, qu'est-ce que tu fabriques ? Je t'attends pour le dîner !

— Oui, oui, j'arrive tout de suite.

— Dépêche-toi un peu. Et tant que tu y es, rapporte-moi des serviettes propres de ton hôtel.

— Bien sûr, des serviettes...

Pauvre Jerry, visiblement, sa « mise au point » n'avait pas été très efficace !

Totally SPieS! ™

Modèles
réduits

Chapitre 1

14h23
Venice Beach

C'était un dimanche de rêve. Ciel bleu sans nuages, mer turquoise, brise légère... le temps idéal pour faire du roller le long de la plage de Venice Beach. En plus, je venais de m'acheter une

tenue complète supercraquante :
petit short mauve, T-shirt moulant
rose, casque et protections assor-
tis. Et j'avais mis au point une
technique imparable pour faire
fondre les garçons. À moi les
beaux surfeurs aux cheveux longs,
les joggeurs à la carrure d'athlète...
et les joueurs de beach volley tout

bronzés ! J'avais repéré ma proie, Jason Roberts, un grand brun top canon, qui était justement en train de jouer au volley sur la plage.

J'ai pris mon élan... et j'ai foncé droit sur lui !

— Hé, Clover ! a protesté Sam. Regarde où tu vas !

— Attention, tu vas finir par rentrer dans quelqu'un !

Notre chère petite Alex s'inquiète toujours pour les autres. Elle n'avait pas compris que c'était justement mon but : provoquer la rencontre en tombant dans les bras du prince charmant !

J'ai accéléré, accéléré... et agité les bras dans les airs en criant d'une voix affolée :

— Ouh, là, là ! Au secours, je ne sais pas m'arrêter !

Là, j'ai fait mine de perdre l'équilibre avant de m'écrouler contre le torse musclé de Jason.

— Oh, pardon, je suis vraiment désolée !

Mon chevalier servant m'a rattrapée dans ses bras vigoureux et m'a demandé gentiment :

— Ça va, miss ?

— Oui, oui, ça va ! Et toi, tu n'as rien de cassé ?

— Pas de problème. Je suis solide comme un roc, a-t-il affirmé en plongeant ses yeux dans les miens.

Et voilà, le tour était joué. Cinq minutes après, il me proposait un rendez-vous.

— Samedi soir ? Oui, avec plaisir, Jason !

— Je passe te prendre à huit heures.

— OK, à samedi !

Et je suis allée retrouver mes amies d'un pas de tigresse (pas facile avec des rollers aux pieds, je vous assure).

— Alors, vous avez vu le travail ?

Sam a hoché la tête.

— Dix sur dix, rien à dire.

— Tu es douée, a reconnu Alex, admirative. Une vraie pro !

J'ai fait une pirouette sur mes patins (je me débrouille très bien quand je veux).

— J'ai rendez-vous avec Jason Roberts samedi soir ! ai-je expliqué. Mandy va en faire une maladie.

Cette peste de Mandy est ma pire ennemie. Avec ses grands airs et ses vêtements de marque, elle essaie de me piquer tous mes petits copains.

— C'est sûr, a confirmé Alex, ça fait des mois qu'elle essaie de sortir avec lui. Elle va être verte.

— Impeccable ! Ça ira bien avec son nouvel ensemble kaki, a renchéri Sam.

Et nous sommes reparties en

riant, filant joyeusement sur nos rollers, les cheveux au vent... Quand, soudain, le sol s'est ouvert sous nos pieds !

AAAAHHHHHHHHHHHH !

Chapitre 2

14 h 45
Quartier général du WOOHP

Depuis le temps qu'on travaille au WOOHP, on a l'habitude de leurs méthodes de transfert plutôt brutales. On peut s'attendre à être aspirées à n'importe quel moment et dans les endroits les plus incongrus (le pire c'était dans une

cabine d'essayage, alors que j'étais en train d'enfiler un amour de petite robe !). Mais, là, franchement, avec les rollers aux pieds, la descente dans les conduits souterrains a été plutôt éprouvante ! Alex et Sam ont atterri délicatement (ou presque) sur la grosse banquette rose, mais moi, je n'arrivais plus à m'arrêter... et j'ai foncé dans le bureau de Jerry !

Pour le coup, ça m'a stoppée net dans mon élan, sauf que j'ai tout renversé ! L'espèce de machin qui était posé sur le bureau s'est fracassé par terre dans un épouvantable bruit de ferraille.

En ramassant les débris, je me suis excusée platement :

— J'ai un peu de mal avec le freinage ces temps-ci. Désolée, Jerry.

Notre grand chef s'est mordillé les lèvres sous sa moustache. J'ai bien vu qu'il se retenait pour ne pas hurler, mais sans se départir de son calme, il a répondu :

— Aucun problème, ce n'était que le prototype hors de prix de notre nouveau satellite de surveillance, lui-même fort coûteux.

— Oh, c'est une maquette, je vais vous la réparer ! me suis-je écriée,

pleine de bonne volonté. J'adore les jeux de construction.

Dans mon dos, j'ai entendu Sam toussoter. Bon, il valait sûrement mieux que j'aille me rasseoir bien sagement avec les autres. Ce que j'ai fait.

Jerry a alors repris :

— Les filles, je vous ai fait venir pour vous confier une mission de la plus haute importance. L'heure est grave : quelqu'un est en train de voler les plus grands monuments du monde !

Alex a froncé les sourcils.

— Comment on fait pour voler un monument ? En général, c'est plutôt immense et bien ancré dans le sol, ces trucs-là !

— Eh bien, justement, notre malfaiteur a trouvé le moyen de les

miniaturiser avant de les aspirer dans les airs ! a annoncé Jerry.

Il a appuyé sur une télécommande pour faire apparaître un écran géant derrière son bureau.

— Voici les vidéos tournées sur les lieux par des touristes...

Sous nos yeux ébahis, la statue de la Liberté, la tour Eiffel et les pyramides d'Égypte se sont transformées en maisons de poupée.

— Il semblerait que le voleur se déplace d'est en ouest, nous a expliqué Jerry. D'après les estimations du WOOHP, sa prochaine cible devrait être le Taj Mahal.

— Chouette, j'ai toujours rêvé de visiter le Mexique ! s'est exclamée Alex.

Sam a levé les yeux au ciel.

— Euh, Alex, le Taj Mahal, c'est en Inde !

— Exact, a confirmé notre chef. Vous vous ferez passer pour des diplomates. Voici vos passeports, des laissez-passer et des costumes locaux, mesdemoiselles.

Il nous a tendu de grands sacs de shopping à fleurs. J'ai vite fouillé dans le mien : wouah ! un sari bleu turquoise, idéal pour mettre en valeur mes yeux bleus !

Puis il nous a fait signe de le suivre jusqu'à l'armoire aux gadgets.

— Au menu du jour, je vous propose un rouge à lèvres extensibarre en titanium...

Quelle horreur, un rouge à lèvres orange ! C'est une couleur à éviter absolument quand on est blonde, comme moi. Mais ne comptez pas sur Jerry pour s'intéresser à ce genre de problème. Imperturbable, il a poursuivi sa démonstration :

— Vous serez également équipées d'un diadème localisateur-

désactiveur fantaisie, de sacs à dos à turbopropulsion thermique, de lunettes télescopiques avec caméra intégrée...

« D'un mascara-cutter laser... et de VTTPO.

Alex s'est approchée, intriguée.

— Qu'est-ce que c'est ? Ça se mange ?

Elle en avait déjà l'eau à la bouche.

— Non, ce sont des vélos tout-terrain propulsés à l'octane, voyons !

— Ah...

Pauvre Alex ! Elle avait l'air toute déçue.

C'était le moment ou jamais de poser la question qui me brûlait les lèvres.

— À votre avis, Jerry, combien de temps va durer cette mission ?

— Je ne saurais vous le dire, Clover. Le temps qu'il vous faudra pour trouver ce malfaiteur et l'arrêter.

— Parce que, figurez-vous, j'ai un rendez-vous très important samedi soir et je vous avoue que ça m'arrangerait si on pouvait...

Je n'ai pas eu le temps de finir ma phrase car notre chef bien-aimé a appuyé sur un bouton... et,

comme d'habitude, le sol s'est ouvert sous nos pieds !

— Au revoir, les filles !

À peine le temps de dire « ouf ! » et nous nous sommes retrouvées sanglées dans la NTTTGV (navette transplanétaire à très très grande vitesse) du WOOHP. Cet engin permet de traverser la planète en un petit quart d'heure, un peu comme le métro, mais en légèrement plus rapiiiiiiiide ! En route pour une nouvelle mission !

Chapitre 3

15h33
Jardins du Taj Mahal, Inde

La navette nous a déposées pile devant le Taj Mahal. C'est ça qui est bien avec le WOOHP : on n'a pas à s'embêter dans les avions, les taxis et tout, on voyage toujours en jet privé ou par des moyens super-

rapides. Enfin, bon, avant d'arriver au monument, il fallait quand même traverser les jardins, et je peux vous dire qu'ils étaient grands, ces jardins. Immenses, même ! Et des arbres, et des pelouses, et des bassins, et des fontaines...

Alex et Sam n'arrêtaient pas de s'extasier :

— Waouh ! Impressionnant, vous avez vu cette splendeur !

— C'est encore plus grand que les plus grandes villas de star de Beverly Hills !

Comme je traînais derrière, Sam s'est retournée, les poings sur les hanches :

— Bon, tu viens, Clover, ou tu fais la sieste ?

Je m'étais assise cinq minutes sur ma valise, histoire de reprendre mon souffle.

— Pfff ! Oui, oui... J'arrive !

— Je ne comprends pas pourquoi tu as emporté toute ta garde-robe ! a soupiré Sam.

— Oui, pourtant Jerry nous a fourni de jolis saris, a renchéri Alex en tournoyant sur elle-même.

— Urgence de la mode ! ai-je

expliqué. Je dois choisir ma tenue pour samedi soir. La première règle d'un rendez-vous réussi, c'est d'être bien habillée : tout est dans l'apparence. C'est aussi la règle numéro un dans la vie, n'est-ce pas, les filles ?

Visiblement, elles n'étaient pas d'accord avec ma philosophie. Elles ont levé les yeux au ciel et m'ont tourné le dos, m'abandonnant là avec ma grosse valise.

Je les ai rattrapées en pestant :

— Merci, c'est sympa ! Bonjour la solidarité féminine !

Cette mission commençait mal. Je n'arrivais pas à avancer avec ma tonne de bagages à traîner et, en plus, je me prenais sans arrêt les pieds dans mon sari. De toute façon, je déteste partir en mission quand j'ai un rendez-vous de prévu... Surtout avec Jason Roberts ! Ce n'est pas parce que je suis espionne que je dois tout sacrifier à mon métier... J'ai tout de même droit à une vie sentimentale ! Mais ça, Jerry refuse de l'entendre !

Je ruminais encore lorsque nous sommes arrivées devant la porte du Taj Mahal. Porte qui, tenez-vous bien, était close. Fermée. Barri-

cadée. Et gardée par un gros molosse à l'air pas aimable.

— C'est fermé pour travaux, a-t-il déclaré sèchement.

— Oh, oh, a murmuré Alex, on dirait que notre ami Jerry a oublié de nous signaler ce petit détail.

Je me suis affalée sur ma valise, complètement découragée. Je n'avais plus la force de faire un pas.

— Bon, qu'est-ce qu'on fait maintenant ?

Sam a voulu faire son intéressante, comme toujours. Elle s'est approchée du garde en insistant :

— Il y a sûrement un malentendu. Nous sommes des diplomates, nous avons des laissez-passer...

Il l'a coupée :

— Le monument est fermé pour rénovation. Personne n'a le droit d'entrer.

Dommage !

— Tant pis alors, on retourne au WOOHP, non ? a proposé Alex.

Sam examinait les environs, les sourcils froncés.

— Non, laissez-moi réfléchir...

— J'ai un rendez-vous d'une extrême importance dans quatre jours, lui ai-je rappelé. Alors tu

pourrais réfléchir un peu plus vite, s'il te plaît ?

— Je sais ! s'est exclamée le cerveau du groupe (Sam... enfin, c'est ce qu'on lui laisse croire). Ça vous dirait une petite séance d'escalade ?

Elle nous a entraînées sur le côté du bâtiment où elle avait repéré un échafaudage.

— Allez, les Spies. Ce n'est pas une porte close qui va nous arrêter !

Elle faisait sa maligne, mais au bout de deux minutes à essayer de se hisser sur ces échelles de bambou, elle a vite déchanté :

— Ah, c'est l'enfer, ces saris !

Là, j'étais cent pour cent d'accord avec elle. Ces grandes jupes aux couleurs chatoyantes, c'est

peut-être joli, mais ce n'est pas du tout étudié pour faire des acrobaties !

Arrivées en haut (enfin !), nous nous sommes faufilées par une fenêtre du deuxième étage.

— Eh ben, les Mexicaines, elles doivent pas faire souvent de l'escalade, a constaté Alex.

— Les Indiennes, Alex, a corrigé Sam. On est en Inde.

— Ne vous en faites pas, les filles ! Je vais vous arranger ça !

J'ai sorti mon kit de couture de mon sac à dos propulseur (une bonne espionne a toujours de bons outils), et en trois coups de ciseaux, j'avais transformé nos saris en mini-jupes.

— Et voilà le travail ! Je suis sûre que ça ferait un malheur à Beverly Hills !

Chapitre 4

16h12
Intérieur du Taj Mahal, Inde

Le pas léger, avec nos nouvelles petites jupes virevoltantes, nous sommes parties en exploration. Nous avons fouillé le Taj Mahal de fond en comble... Un sacré boulot, croyez-moi ! C'était tout simplement somptueux : du marbre

blanc partout, incrusté de pierres précieuses, un vrai palais des Mille et Une Nuits.

Le seul petit problème, c'est qu'il n'y avait rien de suspect. Absolument rien. Nous allions repartir bredouilles quand notre chère petite Alex s'est écriée :

— Attendez ! Qu'est-ce que c'est que ça ?

Agenouillée par terre, elle brandissait une sorte d'anneau en plastique et métal qui paraissait tout droit sorti d'un film de science-fiction. Pas du tout dans le style du Taj Mahal.

— Euh... C'est soit un collier pour chien futuriste, soit une bague pour géant, ai-je suggéré.

Sam s'est penchée vers elle.

— Fais-moi voir...

Mais juste au moment où Alex lui tendait l'anneau, il s'est mis à lancer des flashs aveuglants.

— Au secours ! ai-je crié, éblouie. Qu'est-ce que c'est que ce truc ?

Personne n'a pu me répondre car le sol s'est mis à vibrer, de plus en plus fort. Nous sommes toutes les trois tombées à la renverse.

— Qu'est-ce qui se passe ? On croirait un tremblement de terre !

— Non, le bâtiment rétrécit ! s'est exclamée Sam. Les murs se rapprochent.

— Le plafond aussi ! a hurlé Alex. On va être écrabouillées, c'est affreux !

Heureusement que j'étais là !

— Vite, il faut sortir ! ai-je ordonné.

Nous nous sommes précipitées vers une grande porte en bois sculpté.

— Oh non, elle est fermée ! a annoncé Sam.

Alex s'est énervée sur la poignée, sans succès.

— Elle est bloquée, je n'arrive pas à l'ouvrir ! C'est fini, nous sommes prises au piège !

C'était compter sans ma présence d'esprit.

— Écartez-vous, le rouge à lèvres extensibarre devrait faire l'affaire !

J'ai glissé le bâton entre les deux battants de la porte et – miracle ! – la barre en titanium s'est déployée et les a écartés... juste assez pour qu'on puisse passer !

Franchement à quoi ça sert que Jerry nous fournisse des gadgets si on ne s'en sert pas, hein ?

Une fois dehors, nous nous som-

mes étalées sur la pelouse, encore tremblantes de peur. C'était un spectacle terrifiant : le Taj Mahal rétrécissait à vue d'œil. Et lorsqu'il a eu la taille d'une maison de poupée, il s'est élevé dans les airs... et a disparu avec un gros SLURP !

Je vous jure, comme s'il avait été aspiré par les nuages !

— Hum... Je-je crois qu'on ferait bien d'appeler Je-Jerry, a bégayé Alex.

J'ai aussitôt dégainé mon compoudrier.

— Allô ? Bonjour, Jerry !

Aussitôt, notre chef adoré est apparu sur l'écran. Il était frais et dispos, bien tranquille derrière son bureau.

— Bonjour, mesdemoiselles ! Tout va bien ?

— Euh... C'est-à-dire que le Taj Mahal vient de... comment dire ?... de se volatiliser sous nos yeux, en quelque sorte, ai-je expliqué.

Sam s'est empressée d'ajouter :
— Mais nous avons récupéré une espèce de balise sur les lieux. Pour savoir où notre voleur va frapper la prochaine fois, il faudrait détecter les autres balises émettant sur la

même fréquence un peu partout dans le monde.

— Un instant, je vous prie, a répondu Jerry en pianotant sur son ordinateur. Voyons voir... Oui, ça y est. Je capte un signal plutôt faible, près de la Grande Muraille.

— Alors, si j'ai bien compris, on file tout droit au Pérou, c'est ça ? a demandé Alex.

Sam s'est pris la tête entre les mains.

— En Chine, Alex. C'est en Chine !

Chapitre 5

16h57
Grande
Muraille de
Chine

Sitôt dit, sitôt fait, le WOOHP nous a transférées en Chine. Cette fois, je portais un petit ensemble veste-pantalon en soie, bien mieux adapté à la vie trépidante d'une espionne ! Quoique... je dois reconnaître que j'avais un peu de

mal à marcher sur les pavés de la Grande Muraille avec mes sandales à semelles compensées.

— Je n'ai toujours pas trouvé la tenue idéale pour samedi soir..., ai-je soupiré.

— Ça t'ennuierait qu'on trouve d'abord la balise, Clover ? a répliqué Sam en me jetant un regard noir.

Oh, là, là ! Elle n'est vraiment pas

drôle quand elle joue les chefs comme ça !

— Et puis dépêche-toi un peu ! Pourquoi tu traînes comme ça ?

— Hum... C'est mes chaussures...

— La prochaine fois, tu te mettras en baskets ! a-t-elle répliqué. Les hauts talons, c'est pas pratique quand on est en mission !

Bonjour, l'ambiance !

Avec son diadème localisateur-désactivateur, elle a fini par repérer ce qu'elle cherchait, sur un des côtés de la Muraille.

— Ah, je la vois, en bas, dans l'herbe ! Il ne reste plus qu'à la désactiver.

Le diadème sur le front, elle a appuyé sur un bouton en strass et visé la balise avec le rayon désactivateur.

Mais elle avait beau pointer le laser sur le gros anneau émetteur, rien ne se produisait. Légèrement agacée, elle a répété :

— Je disais donc... il ne reste plus qu'à la désactiver !

Toujours rien. La balise clignotait tranquillement dans l'herbe.

— Laisse-moi essayer, Sam, ai-je proposé.

Je suis descendue de la Muraille... et j'ai écrasé l'engin avec mes grosses semelles compensées. Il a émis un petit bip, un nuage de fumée et pouf ! terminé. Simple et efficace.

— Et voilà : désactivé ! Maintenant, tu ne critiqueras plus mes chaussures, hein ?

Sam était vexée comme un pou. Elle s'est tournée vers Alex pour demander :

— Alors, tu as découvert quelque chose ?

Grâce à ses lunettes télescopiques avec zoom intégré, Alex scrutait le ciel.

— Oui... je vois une tache noire. On dirait... un point noir. Ou peut-être une sorte de grain de riz noir...

— Si tu zoomais, on serait fixées ! ai-je conseillé.

— Ah, euh... oui... c'est un ballon dirigeable !

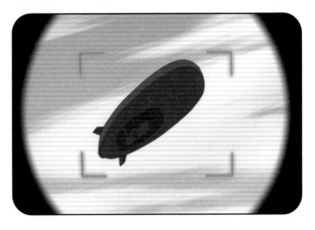

Sam a tiré la poignée de son sac à dos propulseur.

— Parées au décollage, les filles ?

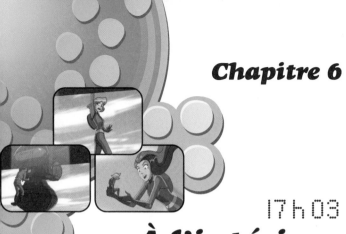

Chapitre 6

17h03
À l'intérieur du ballon dirigeable

Et hop ! Un bon coup de turbo et nous avons rejoint le dirigeable dans les airs. Discrètement, nous nous sommes introduites à l'intérieur. Une énorme machine ronflante et bourdonnante était connectée à une sorte de canon placé sous le ballon.

— Ce doit être l'appareil qui leur sert à miniaturiser les monuments, a diagnostiqué Sam.

— Il faut absolument le mettre hors service ! ai-je décrété.

Sans perdre un instant, je me suis mise à tripoter les boutons et manettes du tableau de commande. Une sirène stridente s'est alors déclenchée.

— Alerte générale ! Intrus dans le sas du laso-canon alpha !

Et, bien entendu, quelqu'un a rappliqué.

Un homme en combinaison gris métal... et qui ne devait pas faire plus de cinquante centimètres de haut !

— Ne touchez pas à cette machine ! a-t-il grondé de toute sa voix.

Les filles ont tenté de l'intercepter mais, malgré sa petite taille, il faisait preuve d'une force surnaturelle. Et pourtant, nous les Spies, nous sommes formées à toutes les techniques de combat.

Après avoir envoyé mes copines au tapis, le petit bonhomme teigneux s'est jeté sur moi et m'a mordu le mollet. Si, je vous assure !

Sous le coup de la surprise, j'ai perdu l'équilibre... et je suis tombée dans le vide.

— Cloooover !

Sam et Alex ont volé à mon secours avec leur sac à dos propulseur, mais la mini-terreur m'a visée avec son laso-canon machin... et m'a transformée en Clover de poche !

Sam a juste eu le temps de me rattraper avant que je ne m'écrase au sol.

Une fois posées en sécurité sur la Grande Muraille, nous avons immédiatement contacté Jerry par com-poudrier. Lorsque nous lui avons raconté toute l'histoire, il s'est exclamé :

— Ce ne peut être que l'œuvre de Minus Lepetit, un ancien cher-

cheur du WOOHP ! Il travaillait avec son frère et sa sœur sur une formule visant à réduire le volume tout en conservant la force physique. Ils se sont retrouvés miniaturisés à la suite d'une erreur de manipulation... et visiblement, ils ont perdu l'esprit ! Soyez prudentes, Lepetit est... un grand malade, si je puis dire.

— Pas de problème, Jerry, a affirmé Sam. Vous pouvez nous faire confiance.

— Nous avons repéré un niveau de radiation inhabituel sur l'île de Jarnésia, au sud de la mer de Chine. Il a dû y installer sa base.

— Alors on fonce là-bas ! a décrété Sam.

— Et moi alors ? ai-je protesté. Je ne peux pas rester comme ça...

Jerry a pris un ton rassurant :

— Ne vous inquiétez pas, Clover. Nos experts sont en train de fabriquer un antidote pour vous redonner votre taille.

— Tant mieux, parce que, vous comprenez, j'ai rendez-vous avec Jason Roberts, samedi soir...

— Je sais, je sais, a répondu Jerry.

— Oui, mais il est vraiment craquant et...

— Oh, je crois que nous allons être coupés, les filles...

L'image s'est brouillée et Jerry a disparu de l'écran.

Il m'a carrément raccroché au nez. Sympa !

Chapitre 7

19 h 04
Île de Jarnésia

Nous avons débarqué sur l'île de Jarnésia, chevauchant fièrement nos VTTPO. Enfin, surtout Sam et Alex, parce que moi, je n'étais pas de taille à monter sur un vélo. Ou alors, il m'aurait fallu un vélo de

poche. Bref, j'étais assise sur l'épaule de Sam...

— Hé, ralentis, je vais tomber !

— Oups, pardon, s'est-elle excusée. Ce sont de vraies bombes, ces vélos !

— Waouh, c'est génial ! a hurlé Alex en filant comme une fusée.

Les filles avaient l'air de bien s'amuser mais, moi, je n'étais pas

très enthousiaste, je dois bien l'avouer.

Au sommet d'une colline noirâtre, on apercevait un manoir sombre et biscornu, sûrement le repaire de Minus Lepetit. Et pour y arriver, il fallait traverser une forêt tout aussi sombre, avec des arbres tout aussi biscornus.

— Brrr... Ça me donne froid dans le dos.

— Oui, ben, t'as raison, a murmuré Alex, brusquement calmée. Retourne-toi, tu vas voir ce qu'on a dans le dos.

Un mini-tank équipé d'un laso-canon venait de débouler derrière nous.

— Oh, oh, le petit minus nous envoie un comité d'accueil, on dirait, a constaté Sam. Plein gaz, les filles !

Nous avons foncé dans la forêt mais le tank ne nous lâchait pas d'une semelle. Impossible de le semer, il se faufilait partout. Finalement, on a poussé les propulseurs à fond... pour grimper dans un arbre.

— Ah, ah ! Il ne peut pas nous atteindre là-haut, fanfaronnait Sam, perchée sur une branche.

Elle avait juste oublié un petit détail.

Le mini-char a visé le tronc avec son laso-canon... et l'arbre s'est transformé en bonsaï. Il ne restait plus qu'à nous cueillir.

Avec un câble, le petit bonhomme nous a ligotées à nos vélos et il a tracté le tout jusqu'au château. Ce tank avait la taille d'une voiture téléguidée et la puissance

d'un semi-remorque ! Franchement, on n'avait pas l'air fin !

Et on était encore moins fières
lorsqu'on s'est retrouvées nez à
nez avec Minus Lepetit. Il nous a
attachées face à un énorme laso-
canon.

— L'heure est venue pour vous
de faire un bon régime, mes petites, a-t-il ricané. Vous allez perdre
au moins dix tailles !

— Hé ! C'est pas du jeu ! ai-je protesté. Je suis déjà riquiqui, vous n'allez pas me ratatiner encore une fois.

Lepetit a éclaté d'un rire dément.

— Si, bien sûr que si, mon pouvoir n'a pas de limite. Je vais vous réduire en poussière, mes jolies.

— Méfiez-vous, vous n'êtes pas

allergique aux acariens ? ai-je répliqué.

J'essayais de gagner du temps, mais je n'en menais pas large.

— Non, je ne crains rien ! Je vais devenir le Maître du Monde ! J'en ai assez de miniaturiser des monuments pour décorer mon château. Je vais réduire des villes entières, maintenant !

Là, je me suis énervée :

— Parce que vous croyez qu'on va vous laisser faire joujou avec votre canon ?

— Tu t'imagines être de taille à m'en empêcher, peut-être ? Bon, assez bavardé. D'ici quelques minutes, cet appareil vous aura transformées en microbes. J'aimerais bien assister au spectacle mais je dois aller chercher la première

pièce de ma collection : une petite ville du nom de Tokyo, vous connaissez ? Au revoir, les puces !

Et il nous a laissées toutes seules face au laso-canon.

— Hé, les filles, j'ai toujours mon mascara-cutter laser dans ma poche. Il a été miniaturisé en même temps que moi, mais espérons qu'il fonctionne toujours.

Je l'ai tout de suite vérifié en nous libérant, mes amies et moi... juste une seconde avant que le rayon ne se déclenche. Petite, mais pas bête, la Clover !

Sam m'a à peine remerciée, elle était déjà prête à repartir :

— Bien joué. Bon, pas de temps à perdre, on a encore une ville à sauver ! Ajustez vos sacs à dos à turbopropulsion, nous allons régler son compte à ce minus !

Et elles ont détalé sur leurs grandes jambes !

— Attendez-moi ! ai-je hurlé en m'accrochant au mollet de Sam.

Chapitre 8

19 h 32

Dans le ciel de Tokyo, au Japon

Quand nous sommes arrivées à Tokyo, une ombre planait au-dessus de la ville : le ballon noir de Minus Lepetit survolait les gratte-ciel.

— Le voilà ! ai-je crié. Il s'apprête à lancer l'offensive.

Comme toujours, Sam avait un plan :

— Il faudrait qu'on sabote le système de navigation du dirigeable pour qu'il ne puisse plus manœuvrer.

Nous avons foncé de toute la puissance de nos sacs à dos à turbomachin-chose pour atteindre le gouvernail du ballon mais, soudain, j'ai remarqué que le laso-canon était pointé vers nous.

— Je crois qu'il nous a repérées ! Swiiish !

— Il tire ! a hurlé Alex.

Le rayon nous a frôlées de près et est venu s'abattre sur une tour. En quelques minutes, il l'a réduite à la taille d'une boîte d'allumettes !

Dans la ville, c'était la panique totale. Les gens couraient dans

tous les sens, complètement affolés.

— Essayez de faire diversion, les
filles, nous a ordonné Sam. Je vais
m'approcher par derrière.

Faire diversion, faire diversion !
Elle en avait de bonnes. Moi, je ne
mesurais plus que cinquante centimètres, au prochain coup de
rayon, je risquais de me retrouver à
la même taille qu'une fourmi !

Mais Alex et moi, nous avons obéi, nous sommes allées narguer Lepetit... Il a tiré, nous avons esquivé et il a transformé un taxi en petite voiture !

Ça devenait trop dangereux, il allait finir par miniaturiser la ville entière ! Sam est revenue, avec une autre idée de génie :

— On n'a pas le temps de sabo-

ter son engin. Il faut le neutraliser au plus vite. Venez, les filles : on va se poser devant ce gratte-ciel, là-bas.

— Tu tiens absolument à terminer en Lilliputienne ? ai-je répliqué.

— Euh... Dis, Sam, a bredouillé Alex, tu ne crois pas que c'est un peu risqué ?

— Mais non, faites-moi confiance. Vous allez comprendre.

Elle nous a entraînées jusqu'à un building tout en glaces. On se voyait dedans ! D'ailleurs, finalement, je n'étais pas si mal en taille XXS, bien plus jolie que toutes ces poupées mannequins ridicules !

Enfin, bref... Effectivement, j'ai tout de suite vu où Sam voulait en venir.

Elle s'est mise à crier, d'une petite voix haut perchée :

— Oh mince alors ! On est prises au piège !

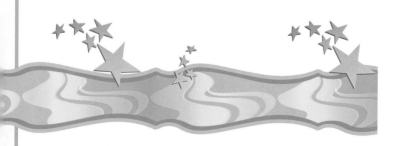

Franchement, je trouve qu'elle n'est pas très bonne comédienne. Mais Lepetit a mordu à l'hameçon. Dès qu'il nous a vues à terre, il a pointé son laso-canon sur nous, il a fait feu... mais nous avons décollé. Le rayon s'est réfléchi dans les glaces de l'immeuble. Effet miroir ! Et qui s'est retrouvé miniaturisé ? La famille Lepetit au grand complet !

Tel est pris qui croyait prendre, comme on dit.

Je dois avouer que, parfois, Sam a quand même de bonnes idées.

Comme d'habitude, une fois que l'affaire a été réglée, les hommes du WOOHP ont débarqué pour cueillir les malfaiteurs. Mais cette fois-ci, pas besoin de menottes, ni

de fourgon blindé... Ils les ont tout simplement enfermés dans une cage à hamster !

Minus, c'est mignon comme nom pour une petite bête pleine de poils, non ? Mais attention, mieux vaut ne pas le caresser, ce hamster-là est enragé !

Épilogue

20 h 50
Villa des Spies à Beverly Hills

— C'est la cata ! ai-je gémi. Jason doit arriver dans moins d'une heure... Vous croyez qu'il voudra sortir avec un lutin en tutu rose ?

— Au moins, tu as une belle robe ! s'est exclamée Alex. Heu-

reusement que j'avais gardé mes vieux habits de poupée.

Tu parles, j'étais tout simplement grotesque dans ce truc à froufrous, plein de dentelle et de rubans !

— Ouais, eh bien, j'espère que l'antidote ne va pas tarder, ai-je marmonné, que j'aie le temps de me changer avant que Jason passe me prendre !

Et comme s'il m'avait entendu, le coursier du WOOHP a sonné pile à ce moment-là ! J'ai couru à la porte... Grrr ! j'avais oublié que je n'étais pas assez grande pour atteindre la poignée.

— Laisse, je m'en charge ! a décrété Sam.

Elle a ouvert et a réceptionné le gros pistolet bizarre qui contenait l'antidote.

— Non, attends, je vais le faire ! a protesté Alex.

Elle a voulu lui arracher des mains... et elles se sont battues !

Je ne plaisante pas : elles se sont

vraiment battues comme des chiffonnières pour s'emparer de l'engin et, finalement, malencontreusement, par erreur, accidentellement, sans le faire exprès, elles ont aspergé mes bagages d'antidote. Bien sûr, ma valise (et tout ce qu'elle contenait) a aussitôt doublé de volume !

Heureusement, il restait assez de

produit dans le pistolet pour me rendre ma taille normale. Mais, ça ne changeait rien, je ne pouvais toujours pas m'habiller... Le 56, c'est un peu grand pour moi, vous voyez !

— Je nage en plein cauchemar ! ai-je soupiré. Toutes mes affaires sont fichues, on pourrait y entrer toutes les trois. Et Jason qui sera là d'une minute à l'autre ! Qu'est-ce que je vais devenir ?

— On pourrait te prêter des vêtements, a proposé Sam.

— Impossible ! Il me faudrait des semaines pour choisir la tenue idéale. Non, je vais annuler, je n'ai pas le choix. Quand il arrivera, vous lui direz que je suis malade.

Mes gentilles amies sont donc allées accueillir mon prince char-

mant quand il est venu me chercher à huit heures tapantes, un énorme bouquet de fleurs à la main.

— Salut ! Clover est prête ?

— Euh, c'est-à-dire que... elle ne peut pas sortir, a bafouillé Alex.

— Oui, elle a plein de boutons partout, a renchéri Sam, c'est affreux.

Cachée dans le couloir, j'enrageais : merci, les copines ! Pas besoin d'en rajouter !

Jason a eu l'air affreusement déçu. Il est reparti, tout triste, son bouquet sous le bras.

Et devinez qui il a croisé dans la rue ? Cette peste de Mandy !

Comme par hasard, elle faisait du roller juste devant chez nous et, comme par hasard, elle lui est ren-

trée dedans. Après avoir discuté cinq minutes, ils sont repartis bras dessus, bras dessous.

— Non, je n'y crois pas ! ai-je crié. C'est trop nul, comme technique de drague ! Elle n'a pas le droit, c'est mon bouquet ! C'est mon rendez-vous !!! Jason, REVIIIIIENS !

Totally Spies!

Cookies
Délices

Chapitre 1

14 h 15
Centre commercial de Beverly Hills

À votre avis, que peuvent faire trois filles folles de mode par un bel après-midi d'été ? Bronzer au bord d'une piscine ? Se promener au grand air ? Vous n'y êtes pas du tout. Notre sport préféré à nous, les Spies, c'est d'écumer les bou-

tiques. Que le soleil brille ou pas, peu importe. Donc, ce samedi-là, Sam, Alex et moi, nous arpentions les allées du centre commercial. On fait ça TOUS les samedis. Et le mercredi aussi. Parfois même le vendredi, en fin de journée, quand on n'a pas cours. Bref, dès qu'on a un moment de libre, on fonce au centre commercial. Alors, il faut avouer que, à force, les vitrines, on les connaît par cœur. On a déjà tout vu, tout essayé, tout acheté. De quoi être sacrément déprimées !

Sam s'est arrêtée devant une paire de mules mauves en soupirant :

— Déjà vues !

— Déjà achetées ! a poursuivi Alex.

Et j'ai conclu :

— Déjà démodées !

Il n'y avait rien de nouveau, pas la moindre petite robe, pas le moindre petit T-shirt dernier cri à se mettre sous la dent. Nous avancions en traînant les pieds, quand, soudain, mon regard est tombé sur LE chapeau de mes rêves. La

vendeuse venait de le mettre en vitrine.

— Regardez ! C'est le chapeau que porte la fille en couverture de *Jeune et belle* !

Sans plus attendre, je me suis engouffrée dans la boutique pour l'essayer. J'ai dû forcer un peu pour l'enfoncer sur ma tête, mais qu'est-ce qu'il était joli !

La vendeuse a toussoté :

— Excusez-moi, mademoiselle, si je peux me permettre, vous devriez essayer la taille au-dessus. Le médium me paraît un peu juste.

Elle l'a repris et m'a tendu le large, avant de s'éloigner pour servir une autre cliente. Je dois avouer que j'étais un peu vexée. Elle insinuait que j'avais la grosse tête ou quoi ?

— Je ne vais pas acheter un large, quand même ! ai-je grommelé. Je ne porte que du extra small !

Sam a haussé les épaules.

— C'est ridicule, Clover. Tu ne vas pas acheter un chapeau que tu ne peux pas mettre !

— Mais oui, a renchéri Alex. Regarde, le large te va très bien.

— Peu importe, c'est une question de principe ! Je ne suis pas grosse, je ne porte pas de large.

J'ai reposé cet énorme chapeau pour éléphant et je suis retournée voir la vendeuse.

— Je voudrais le médium, s'il vous plaît.

— Désolée, je viens de le vendre à cette demoiselle. Et c'était le dernier.

En levant les yeux, j'ai découvert avec horreur que « cette demoiselle » n'était autre que… Mandy ! Mon ennemie jurée ! Celle qui copie toujours mon style et essaie de me piquer tous mes petits copains. Quelle journée maudite !

— C'est pile ma taille ! a-t-elle minaudé en quittant le magasin avec MON chapeau sur la tête.

— Eh bien, voilà, le problème est réglé, a conclu Sam, toujours pratique. Tu n'as qu'à prendre le large.

— Pas question. Si Mandy peut porter du médium, moi aussi, d'abord ! ai-je décrété.

Je me suis tournée vers la vendeuse et j'ai demandé :

— Vous pouvez me le commander pour la semaine prochaine ?

J'entendais les filles soupirer dans mon dos, mais je m'en fichais. Mon honneur était en jeu.

En sortant du magasin, Alex s'est écriée :

— Oh ! Regardez, un nouveau Photomaton. Si on faisait une photo rigolote toutes les trois, pour se changer les idées ?

— Mouais, à condition que je puisse rentrer dedans. Ce n'est pas sûr, avec ma grosse tête, ai-je bougonné.

Nous nous sommes entassées dans la cabine et nous avons pris la

pose comme les drôles de dames…
mais, juste au moment du flash,
le sol s'est ouvert sous nos pieds !
Aaaaaaaah !

Chapitre 2

14h45

Quartier général du WOOHP

Et comme d'habitude, nous sommes tombées dans un long, long
tunnel… Ça, c'est la méthode mus-
clée du WOOHP pour nous convo-
quer au quartier général. Ils nous
aspirent comme ça, sans prévenir !
On glisse à toute allure sur une

sorte de toboggan géant avant de déboucher dans le bureau de notre grand chef : Jerry. Bien sûr, Alex et Sam ont atterri délicatement sur la grosse banquette rose tandis que moi, je restais coincée dans la trappe. Il n'y avait que mes petites gambettes qui dépassaient.

— C'est ça, d'avoir la grosse tête, a murmuré cette peste de Sam.

— Je te signale que j'ai entendu, ai-je marmonné en me dégageant tant bien que mal, avant de m'écrouler sur elles.

Comme nous ricanions bêtement, Jerry nous a fait les gros yeux.

— Ce n'est pas le moment de s'amuser. L'heure est grave, nous devons agir vite, les filles.

Il a appuyé sur une télécommande. Aussitôt une cloison a coulissé et un écran géant est apparu derrière son bureau. Il nous a montré un film où l'on voyait une meute de gens déchaînés se battre comme des brutes pour une boîte de gâteaux au chocolat.

— Comme vous pouvez le constater, les cookies Délices rendent ceux qui les mangent fous furieux.

Les gens perdent la tête, ils sont prêts à tout pour avoir ces biscuits, a conclu Jerry.

— Qu'est-ce que vous attendez de nous au juste ? a demandé Sam (elle se prend un peu pour la chef, alors c'est toujours elle qui pose ce genre de questions).

— Vous allez infiltrer l'association qui distribue ces cookies, la Joyeuse Compagnie. En uniforme, comme ces jeunes filles, vous irez vendre les gâteaux porte à porte. Il faut à tout prix comprendre ce qui se passe avant que la folie des cookies envahisse toute la planète !

J'ai fait la grimace.

— On va devoir porter ce short ridicule ? Quelle horreur !

— Vous savez, la vie d'espionne n'est pas toujours facile, Clover, a

soupiré Jerry. Mais pour compenser, vous serez équipées de gadgets exceptionnels !

Il a alors fait coulisser un tiroir de son bureau pour faire apparaître notre panoplie. À chaque mission, le WOOHP nous fournit des accessoires de haute technologie très utiles et top mode.

— Aujourd'hui, vous emporterez le vaporisateur de parfum paralysant, le bracelet multifonction,

l'appareil photo holographique, la barrette à tête chercheuse et, en prime, ces trois échantillons de crème.

J'ai déchiffré ce qui était écrit sur le tube :

— Crème polaire hydratante.

Tout penaud, Jerry a expliqué :

— Je les ai trouvés dans ma boîte à lettres ce matin. La publicité disait : « protection maximale contre le grand froid », j'ai pensé que ça pourrait vous servir.

— Merci, Jerry ! s'est extasiée Alex, toujours enthousiaste. J'adore les échantillons.

Jerry a souri d'un air modeste.

— De rien, les filles. Vous protéger, c'est mon métier.

Puis notre chef bien-aimé a appuyé sur un bouton et trois cabi-

nes d'essayage roses sont sorties du sol.

Moi qui m'attendais à tomber dans un trou, comme d'habitude, j'étais ravie.

— Oh, qu'est-ce que c'est, Jerry ?

— La toute dernière invention du WOOHP : la turbo cabine d'essayage. Elle vous permet de changer de tenue en un clin d'œil tout en vous déposant sur votre lieu de mission.

— Waouh ! Génial ! me suis-je exclamée. On peut l'essayer ?

— Bien sûr, allez-y ! Mais…

J'étais à peine entrée à l'intérieur de ce machin qu'il s'est mis à tourner comme une essoreuse à salade !

— Attention, ne remuez pas trop, les filles ! Je crains que le système ne soit pas encore très au point.

Aaaaaaah ! Sacré Jerry, il n'aurait pas pu le dire plus tôt !

Chapitre 3

15h22
Centre de distribution de cookies

Les fameuses turbo cabines du WOOHP ont atterri dans un pré. Elles nous ont éjectées sans ménagement dans l'herbe, vêtues du superbe uniforme de la Joyeuse Compagnie : short mi-cuisse et

chemise ornée d'une marmotte dans le dos, le tout vert caca d'oie. En plus, cette cabine de malheur m'avait mis ma chemise à l'envers !

Je me suis relevée en époussetant ce short immonde.

— Franchement, cette mission commence mal.

— Allez ! m'a encouragée Sam. Plus vite on aura fini, plus vite on

pourra enlever cette tenue grotesque.

Nous sommes allées voir la responsable de la distribution des cookies avec notre sourire le plus innocent. Elle avait la carrure d'un joueur de rugby. Vu qu'elle portait le même uniforme que nous, je ne vous dis pas la honte !

Alex a pris une voix de petite fille :

— Coucou ! On vient chercher notre lot de cookies !

Mme Muscle a froncé les sourcils, soupçonneuse.

— Vous n'êtes pas un peu vieilles pour vendre des cookies ?

— Mais non ! C'est que… euh… on est très grandes pour notre âge, a répliqué Sam.

— Humpf ! a grogné l'autre, pas

très convaincue. Qui est votre chef d'équipe ?

— Notre chef, c'est Jerry ! s'est exclamée Alex.

Ah, là, là ! sacrée Alex, elle ferait mieux de réfléchir un peu avant de parler : il n'y a que des filles à la Joyeuse Compagnie ! Heureusement, Sam a rattrapé le coup :

— Euh, oui, Jerryline, enfin Géraldine quoi…

— Ah ? Je ne connais pas, ça doit être un nouveau groupe.

J'ai hoché vigoureusement la tête.

— Oh, oui, oui ! Tout nouveau !

— Bien, voici votre liste de livraisons, a-t-elle dit en nous tendant une feuille. Allez chercher vos cookies dans le camion.

— Merci, madame ! avons-nous

crié en chœur avant de filer sans demander notre reste.

Une heure plus tard, nous étions dans les rues de Beverly Hills, avec notre chariot plein de boîtes de cookies. Sam a lu l'étiquette :

— Cookies Délices parfum menthe-chocolat, un véritable régal pour les palais délicats. Beurk, je déteste la menthe !

Alex a fait la grimace.

— Moi aussi, je trouve que ça a le goût de dentifrice.

Heureusement que j'étais là pour me dévouer.

— Bon, je vais goûter. Pour les besoins de l'enquête, bien sûr.

J'ai ouvert une boîte et croqué l'un des cookies.

— Waouh ! C'est un vrai régal,

ils ont raison ! Juste ce qu'il faut de menthe, et plein de chocolat ! Miam !

C'était trop bon, j'en ai mangé un deuxième, puis un troisième…

— Hé, stop ! Tu vas dévorer tout notre stock ! a protesté Sam en m'arrachant la boîte des mains.

— Oh, allez, s'il te plaît, Sammy ! Encore un petit dernier. C'est pour l'enquête !

— Oui, eh bien, tu as assez enquêté comme ça, Sherlock !

Ça, c'est Sam, elle se croit marrante, mais elle ne l'est vraiment pas ! J'avais une affreuse envie de grignoter un dernier biscuit, juste un, mais rien à faire ! Alex a sorti son appareil photo holographique.

— Je ferais mieux de photogra-

phier la pièce à conviction avant qu'elle ne disparaisse.

— Et moi, je vais en envoyer une boîte à Jerry pour qu'il la fasse analyser. Je me demande bien ce que cachent ces mystérieux cookies.

Elle a tapoté sur quelques touches de son com-poudrier et, aussitôt, une boîte à lettres a surgi du trottoir. Elle y a glissé le paquet qui

est parti direct au QG grâce à la technologie hyperperfectionnée du WOOHP.

Puis Sam a consulté la liste de distribution :

— Allez, au travail, les Spies !

Chapitre 4

15h45
Devant chez Shirley Rogers

— Voyons voir ! Commençons par Shirley Rogers. Une très bonne cliente de la Joyeuse Compagnie. En une semaine, elle a commandé cent cinquante boîtes ! Jerry m'a fourni sa fiche d'identité complète avec photo.

Sauf que quand Sam a sonné à la porte, surprise… c'est une dame énoooorme qui est venue nous ouvrir. Rien à voir avec la photo.

— Shirley ? Shirley Rogers ? a bafouillé Sam.

— Oui, c'est bien moi. Ah ! La Joyeuse Compagnie, quelle joie de vous voir. Je vous attendais. Je ne suis pas allée travailler aujourd'hui

pour être sûre de ne pas rater la livraison. Je ne peux plus me passer de vos cookies, regardez !

Elle s'est écartée pour nous laisser voir l'intérieur de la maison. Un vrai capharnaüm ! Des montagnes et des montagnes de boîtes de gâteaux vides s'entassaient un peu partout.

— Évidemment, j'ai pris quelques kilos cette semaine, a-t-elle avoué en caressant ses bourrelets. Mais ce n'est pas grave, ces cookies sont tellement bons ! J'ai même écrit au docteur Aigredoux pour la remercier.

— Le docteur Aigredoux ? a répété Sam, intriguée.

— Oui, Inga Aigredoux, le génie qui a inventé la recette des cookies Délices !

Alors que Sam notait le nom du docteur pour en parler à Jerry, nous avons entendu un grondement dans la rue, comme un roulement de tonnerre. Une foule en délire se ruait sur nous en hurlant :

— Cookies ! Cookies !

— Ouh là ! Je crois qu'on ferait mieux d'y aller ! s'est écriée Sam en prenant le chariot. Au revoir, madame !

— Hé, attendez ! Et mes gâteaux ?

Alex lui a jeté une boîte de cookies alors que nous détalions à toutes jambes. La foule déchaînée gagnait du terrain. Ils avaient vraiment l'air complètement dingues.

— Aaaah ! Et maintenant, qu'est-ce qu'on fait ? a gémi Alex.

— On lâche le chariot et on court ! a ordonné Sam.

Laisser le chariot ? Elle plaisantait ou quoi ? Je n'allais quand même pas abandonner tous ces bons cookies !

— Attendez-moi, je vais en prendre une boîte, rien qu'une !

— Non, Clover ! Tu vas te faire massacrer !

Mais la tentation était trop forte. Un petit cookie, rien qu'un ! Je suis retournée au chariot et, là,

tous ces gens déchaînés me sont tombés dessus. Ils se battaient pour prendre le plus de cookies et moi, j'étais en dessous de la mêlée. J'étouffais !

— Au secours !!!

Les filles sont revenues en courant. C'est une règle d'or des Spies : ne jamais abandonner une amie en danger.

Pour une fois, Alex a eu une idée

de génie. Elle s'est servie de son appareil holographique pour faire apparaître une pile de boîtes de cookies virtuelles, grâce à la photo qu'elle avait prise du chariot.

Sam m'a agrippée par le bras afin de m'entraîner loin des fous furieux.

— Allez, on file !

Nous avons couru, couru, couru…

— C'est bon, je crois qu'on les a semés, a-t-elle remarqué. On fait une petite pause, il faut que j'appelle Jerry pour lui raconter tout ça.

Pendant qu'elle sortait son compoudrier, moi, je me suis assise sur un banc, histoire de reprendre mon souffle… et grignoter quelques cookies. Eh oui, j'avais réussi

à en subtiliser une boîte dans la bagarre. Maligne, la Clover !

Alex avait l'air inquiète.

— Clover, tu devrais peut-être arrêter de manger ces gâteaux tant qu'on ne sait pas ce qu'il y a dedans.

— Che chais che qu'il y a dedans, ai-je répliqué, la bouche pleine. Un ch'tit goût de paradis.

— Mais tu as vu dans quel état ça a mis tous ces gens !

Sam a refermé son com-poudrier d'un coup sec. Elle faisait une tête d'enterrement.

— C'est l'horreur ! J'ai demandé à Jerry s'il avait fait analyser les cookies que je lui avais envoyés, mais il a déjà tout mangé. Il veut que je lui en envoie d'autres ! Il est accro lui aussi ! On n'a qu'une

solution : rendre une petite visite au docteur Inga Aigredoux en Suisse, dans l'usine de production des cookies !

Chapitre 5

10 h 45

Quelque part dans les Alpes suisses

Sans plus attendre, nous nous sommes donc rendues en Suisse avec le jet du WOOHP. C'est un super petit avion privé, décoré aux couleurs des Spies. Et il va à une vitesse supersonique. J'ai juste eu le temps de grignoter quelques

cookies et hop ! il fallait rattacher sa ceinture pour l'atterrissage. Là, je dois avouer que j'ai eu un petit problème : impossible de fermer cette maudite ceinture. Alex et Sam n'arrêtaient pas de ricaner. D'accord, j'ai un peu grossi mais ces cookies sont un véritable délice, ils portent bien leur nom !

En tout cas moi, j'étais contente d'avoir quelques kilos en trop parce que, dans les Alpes suisses, il ne fait pas chaud. Alex n'arrêtait pas de grelotter. Et ça ne s'est pas arrangé à l'intérieur de l'usine, toutes les pièces étaient réfrigérées. On nous a fait enfiler une tenue grotesque avec tablier et jupette à fleurs avant de nous faire monter dans un petit train pour la visite des lieux.

— J'en ai assez de cette mission ! ai-je pesté. Niveau mode, c'est n'importe quoi ! D'abord le short couleur caca d'oie et maintenant la jupe de grand-mère !

Alex, elle, jouait le jeu et prenait plein de photos avec son appareil holographique, comme une gentille touriste.

— Arrête de râler, Clover ! Moi, je m'amuse comme une petite folle !

— Tu parles ! Je ne vois pas ce qu'il y a d'intéressant. J'espère au moins qu'il y a une dégustation gratuite à la fin.

— Ça suffit, les filles ! nous a coupées Sam. Je vous rappelle qu'on est là pour le travail. J'ai bien envie

de quitter le groupe pour aller explorer les environs.

Et sur ce, elle nous a fait sauter du train. En marche ! Avec mes quelques kilos en trop, j'ai eu un mal fou à m'en sortir.

— Attendez ! Attendez ! Je suis coincée.

En pouffant, Alex a sorti l'échantillon de Jerry de sa poche et m'a aspergée de crème hydratante, puis elles m'ont tirée pour m'extirper de là.

— Ho hisse et ho !

— Voilà, ça glisse tout seul avec de la crème !

Super ! J'ai atterri sur les fesses ! Merci, Jerry !

— Bon, maintenant, si on allait voir l'envers du décor, a proposé Sam en nous montrant une porte

qui indiquait clairement « Interdit au public ».

— Et ma dégustation gratuite alors ? ai-je protesté.

Elles ont levé les yeux au ciel.

— Clover !!!

— Bon, bon, d'accord, je me tais. Mais comment va-t-on ouvrir cette porte ?

— Ben, t'es costaude, non ? a fait Alex en me tâtant les biceps.

Et elle avait raison : en deux coups d'épaule, j'ai réussi à l'enfoncer.

— Waouh ! a sifflé Sam, admirative. Pas mal !

J'étais assez fière de moi.

— Ah, vous voyez, ça a du bon finalement d'être un peu enveloppée.

Au bout d'un long couloir, nous

avons débouché dans la salle de fabrication des petits gâteaux.

— Regardez ! C'est affreux ! Les employés sont gavés de cookies pendant qu'ils travaillent, a chuchoté Alex.

Effectivement, une machine leur fourrait un biscuit dans la bouche toutes les cinq minutes.

— On dirait des robots, a remarqué Sam, ils sont complètement hypnotisés.

À voir tous ces gâteaux, je commençais à saliver.

— Miam, ça me donne faim ! Je mangerais bien un petit cookie, moi...

Mais les filles ne m'en ont pas laissé le temps, elles avaient découvert une autre porte, blindée celle-là. Je le sais parce que j'ai à nou-

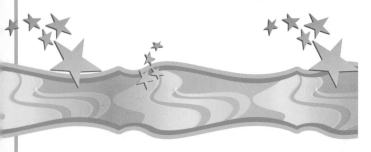

veau essayé le coup de l'épaule... et que je me suis fait très mal.

— OUILLE ! Désolée, les filles, je ne vais pas pouvoir vous aider cette fois-ci.

Du coup, Sam a utilisé son bracelet multifonction. Le WOOHP
l'avait équipé d'un minibâton de
dynamite, malin !

Un petit boum et hop ! nous
avons pu entrer dans la pièce top-
secrète. C'était un grand laboratoire, avec plein de machines
bizarres qui clignotaient, de robots
qui cliquetaient, et de cuves qui
clapotaient…

Le seul petit problème, c'est que
l'explosion de la porte n'était pas
passée inaperçue. Et deux minutes
plus tard, nous avons vu débarquer
deux armoires à glace en costume
de la Joyeuse Compagnie, qui
encadraient une petite bonne
femme avec un immense chignon
gris. Sans doute le fameux docteur
Aigredoux.

— Tiens, tiens ! s'est-elle exclamée. On dirait que nous avons de
la visite.

Puis elle s'est tournée vers ses
deux molosses :

— Attrapez-les !

Elle ne savait pas que les Spies ne
se laissent pas faire aussi facilement. Nous nous sommes battues
jusqu'au bout ! Mais les gardes
étaient armées d'énormes pistolets

qui nous bombardaient de cookies. Je n'ai pas pu résister, je me suis arrêtée pour en grignoter un, puis deux… Les gardes en ont profité et je me suis retrouvée ligotée comme un saucisson ! Sans mon aide, les filles n'ont pas pu résister longtemps. Nous étions toutes les trois prisonnières du docteur Aigredoux, et elle n'avait franchement pas l'air commode !

Chapitre 6

‖ h 30
Laboratoire
secret du
Dr Aigredoux

En pointant sur nous leurs fusils à cookies, les deux gardes nous ont fait avancer jusqu'à une énorme machine et nous ont sanglées sur des fauteuils bizarres.

— Ça ne me dit rien qui vaille, a

murmuré Sam. On se croirait chez le dentiste.

Le docteur Aigredoux a éclaté d'un rire dément.

— Laissez-moi vous présenter la « Gaveuse », une petite invention de mon cru qui, comme son nom l'indique, va vous gaver comme des oies. Maintenant préparez-vous à subir le supplice du cookie qui tue !

Youpi ! J'allais enfin pouvoir manger autant de cookies que je voulais ! Je ne vois pas pourquoi les filles avaient l'air terrorisées !

Inga Aigredoux a tapoté sur quelques touches, poussé une grosse manette et la gaveuse s'est mise en branle. Quelle invention géniale ! Des bras mécaniques attrapaient des cookies et nous les fourraient sous le nez, même pas besoin de tendre la main, il n'y avait qu'à ouvrir la bouche !

— Miam, miam !

— Non, pas « miam, miam », a rugi le docteur. J'ai mis la gaveuse sur la vitesse maximum, vous aller exploser ! Ha, ha, ha !

D'accord, elle avait inventé ces délicieux cookies… mais elle avait quand même l'air sérieusement

dérangée, cette bonne femme. J'ai profité d'un moment d'inattention de sa part pour accrocher discrètement ma barrette à tête chercheuse à son tablier. Elle n'avait rien vu, elle continuait son petit discours.

— Vous savez, moi aussi, j'ai fait partie de la Joyeuse Compagnie, autrefois. J'adorais les cookies, un peu trop, même !

— Et que s'est-il passé ? a demandé Sam.

— J'ai mangé tous mon stock et ils m'ont renvoyée ! Mais l'heure de la vengeance a sonné. Bientôt, plus personne dans le monde ne pourra se passer de mes cookies.

L'un des monstres en short l'a tirée par la manche.

— Excusez-moi, docteur, il est temps de partir pour l'entrepôt.

— C'est vrai. Profitez bien de votre dégustation, les filles… car ce sera la dernière !

Et sur ce, les trois folles du cookie nous ont laissées aux mains de la gaveuse.

Le bras mécanique s'est approché de Sam qui serrait les lèvres avec détermination.

— Qu'est-ce qu'on va faire maintenant ? a demandé Alex.

— Ben, manger des cookies ? ai-je proposé.

Mais quand le bras de la gaveuse s'est avancé vers elle, Alex a détourné la tête.

— Non, merci ! Je ne veux pas devenir accro, moi.

Sam se tortillait comme une folle sur son siège.

— Il doit bien y avoir un moyen de sortir d'ici…

Tout à coup, son petit tube de crème hydratante a giclé de sa poche. Et hop, elle n'a eu aucun mal à se glisser hors des sangles.

— Waouh ! s'est exclamée Alex. Vraiment trop cool, ces échantillons !

Sam nous a détachées, mais je

n'avais pas envie de quitter la gaveuse, moi. Pas avant d'avoir mangé rien qu'un petit cookie !

— Attends, Sammy ! ai-je supplié. C'est presque mon tour.

— Clover, ça suffit avec ces biscuits.

— Ouais, aide-nous plutôt à retrouver le docteur Aigredoux !

— Rien de plus simple, ai-je

répliqué. J'ai accroché ma barrette à tête chercheuse à son tablier ! Il suffit de repérer le signal qu'elle émet sur notre com-poudrier. Et on va la retrouver, la dingo des cookies !

Alors là, ça les a scotchées ! Et toc !

Chapitre 7

15 h 20

Quelque part en Islande

En suivant les indications de la barrette à tête chercheuse, nous nous sommes retrouvées dans un endroit encore plus froid que les Alpes… en Islande !

Alex n'arrêtait pas de claquer des dents.

— Gla-gla-gla ! Le docteur Aigredoux a un problème avec la chaleur ou quoi ? Pourquoi elle choisit toujours des endroits où il gèle ?

— Mmm… C'est bizarre, plus que bizarre, même ! a murmuré Sam d'un air pensif.

— Si seulement j'avais mon chapeau en taille médium, j'aurais

moins froid aux oreilles, ai-je remarqué.

Sam a étudié l'écran de son compoudrier.

— Le signal de la barrette provient de cet immense entrepôt gris. Allons-y.

Pendant que nous faisions le guet, Sam a forcé la porte avec son bracelet multifonction. Cette fois, elle a été plus discrète, elle a crocheté la serrure avec la lime à ongles.

— C'est pas possible ! a gémi Alex en entrant dans l'entrepôt. À l'intérieur, il fait encore plus froid !

Je n'en croyais pas mes yeux. Il y avait des dizaines, des centaines, des milliers de boîtes de cookies empilées du sol au plafond. J'en avais l'eau à la bouche.

Mais Sam m'a tirée par la manche.

— Hé ! Ne rêve pas, Clover. Les cookies, pour toi, c'est fini.

Des pas ! Vite, nous nous sommes cachées derrière les caisses de biscuits.

Le docteur Aigredoux arrivait, encadrée de ses fidèles armoires à glace en short. Elle avait l'air surexcité.

— Ah, j'ai hâte que tout soit réglé. Quand tous ces cookies auront été livrés partout dans le monde, mon triomphe sera total !!!

— Non, mais vous l'avez entendue ? ai-je chuchoté. Elle ne doute de rien, celle-là.

— Comme la plupart des savants fous, a soupiré Sam.

Alex, qui grelottait toujours, a bégayé :

— M-m-moi, je me de-de-demande quand même d'où lui vient cette pa-pa-passion pour les températures po-po-polaires !

Et là, en mettant les mains dans mes poches pour les réchauffer, j'ai compris.

— Moi, je parie que c'est à cause des cookies. Regardez…

J'ai sorti de ma combinaison un biscuit tout dégoulinant.

— … la chaleur les fait fondre. Oh, c'est dommage, c'était le der-

nier qui me restait ! Quel gâchis !

Le visage de Sam s'est soudain éclairé.

— Oh, oh, je crois que j'ai une idée !

En nous montrant l'énorme climatiseur chargé de refroidir l'entrepôt, elle a ajouté :

— Ça vous dirait de réchauffer

un peu l'atmosphère, les filles ? Je vais monter la température de l'entrepôt, occupez-vous des gardes.

Elle s'est élancée en courant pendant qu'Alex et moi nous nous efforcions d'arrêter les molosses. Enfin, surtout moi, parce que la pauvre Alex, face à ces monstres, elle ne faisait pas le poids. J'ai affronté la plus énorme en face à face, un vrai combat de sumos !

Je me suis bien débrouillée…
mais je dois avouer que, à la fin, je
l'ai achevée avec un petit pschitt
de parfum paralysant, ni vu ni
connu. Ça sert à ça, les gadgets !

Pendant ce temps, à l'autre bout
de l'entrepôt, Sam tripotait toutes
les manettes pour essayer de faire
remonter la température am-
biante.

Un gros molosse s'est jeté sur elle par derrière.

— T'as besoin d'un coup de main, Sam ?

— Non, non, ça va.

Et hop, elle a refait le coup de la crème hydratante, elle en a versé un peu par terre, le pauvre gars a patiné et s'est étalé de tout son long.

— C'est vraiment le meilleur gadget que le WOOHP nous ait jamais fourni ! Bon, ça y est, la température augmente…

— Oui, regardez, les cookies fondent à vue d'œil, a constaté Alex.

— Oh, ça me fend le cœur, ai-je gémi. Tous ces bons cookies gâchés !

Il y en avait une autre à qui ça ne faisait pas plaisir : le docteur

Aigredoux. Elle est arrivée en courant, complètement paniquée.

— Mes cookies ! Ne touchez pas au thermostat, vous allez tout détruire. C'est le point faible de ma recette, il faut les garder à dix degrés maximum.

Elle a voulu se jeter sur Sam, mais je l'ai attrapée par le fond de son pantalon, pendant qu'Alex lui fourrait de force un cookie dans la bouche.

— Vous voulez des cookies ? En voilà ! Allez ! un cookie pour maman, un cookie pour papa…

Au bout de quatre ou cinq gâteaux, Inga Aigredoux s'est mise à enfler, enfler, enfler ! Elle est devenue énorme. Puis elle s'est ruée sur les caisses dégoulinantes de chocolat.

— Cookies ! Cookies !

Et voilà, une fois de plus, nous avions sauvé l'humanité d'un terrible danger !

Comme d'habitude, les hommes du WOOHP ont débarqué après la bataille. Le docteur Aigredoux était en train de se gaver de cookies, ils n'ont eu qu'à la cueillir. Du moment qu'on lui laissait un

biscuit dans la bouche, elle se laissait faire bien gentiment.

Un gros bonhomme à moustache est venu nous serrer la main. Ça alors, c'était Jerry, je ne l'avais pas reconnu.

— Merci, les filles ! Beau travail.

— Alors vous avez trouvé l'ingrédient secret que le docteur Aigredoux met dans ses cookies ? a demandé Alex.

— Oui, il s'agit d'un concentré sucré hypercalorique créant une dépendance immédiate aux cookies Délices.

Sam a toussoté.

— Hum ! Excusez-moi, Jerry, mais si j'en crois vos quelques kilos en trop, le WOOHP n'a pas encore trouvé de remède…

Effectivement, il avait doublé de volume. Comme moi.

— Nous y travaillons. Normalement l'antidote devrait annuler l'effet de dépendance et brûler la masse de graisse.

J'ai écarquillé les yeux.

—Comment ça, «normalement»?

Épilogue

16h00
Centre commercial de Beverly Hills

Ah, enfin ! Quel plaisir de revoir notre cher petit centre commercial, ses magnifiques boutiques, ses vitrines alléchantes… J'avais une folle envie de dévaliser les magasins ! Car ouf et re-ouf, j'avais retrouvé ma taille de guêpe !

En tourbillonnant sur moi-même comme une toupie, je me suis tournée vers mes amies.

— Bon, alors, qu'est-ce que vous voulez faire, les filles ?

— On pourrait aller à la cafétéria, a proposé Sam. Il paraît qu'il y a une dégustation gratuite de cookies.

Alex s'est mise à pouffer, mais moi, ça ne me faisait pas rire.

— Ha-ha-ha ! Très drôle !

J'ai boudé quelques minutes puis, soudain, j'ai eu une idée.

— Hé ! Je sais ce que je dois faire ! Venez avec moi !

Vite, j'ai foncé à la boutique où j'avais vu ce fameux chapeau.

— Ah, ils ont enfin reçu la taille médium ? a demandé Sam.

— Non, j'ai décidé de le prendre en large, finalement.

Clover et Sam n'en revenaient pas.

— En large ?!?

— Eh oui ! Tout bien réfléchi, à côté de la taille que je faisais il y a quelques jours, prendre un chapeau en large n'a rien de dramatique. L'essentiel, c'est d'être à l'aise dans ses vêtements, et bien dans sa peau !

J'ai enfoncé le chapeau sur ma tête et j'ai souri à mon reflet dans la glace. Il m'allait vraiment à merveille.

Mais, comme toujours, il a fallu que Sam ait le dernier mot :

— Eh bien, la rumeur se confirme. Il y a bien un cerveau dans cette grosse tête !

— Très drôle !!!

Totally Spies!

Sens dessus dessous

Chapitre 1

11h15
Beverly Hills, nouvelle villa des Spies

— Waouh ! C'est chez nous, ça ?

En découvrant notre nouvelle villa avec piscine et jacuzzi, Alex a ouvert des yeux ronds comme des soucoupes.

— Eh oui ! ai-je confirmé. Deux cents mètres carrés, rien que pour nous ! En plus, nous sommes dans

un quartier super branché. Je parie que tous nos voisins sont des stars.

— Allez, à trois, on ouvre la porte ensemble, a décidé Sam. Un... deux... trois !

Et là, nous sommes restées bouche bée. Un salon immmmmense (je mets cinq « m », parce que ça les vaut bien !) avec un aquarium

gigantesque rempli de poissons tropicaux, une chaîne stéréo dernier cri pour faire de super fêtes et de longues banquettes en cuir violet, la couleur la plus tendance du moment !

— C'est trop cool !

Nous avons sauté en l'air en criant d'une seule voix :

— Amies pour la vie !

J'ai poursuivi ma visite en montant au premier étage.

— Hé, les filles, venez voir la salle de bains ! Quel miroir, je suis sûre que même Madonna n'en a pas un aussi grand.

Alex s'est approchée de la baignoire, l'air inquiet.

— Il y a un problème : on ne peut pas prendre un bain là-dedans, c'est plein de petits trous !

J'ai levé les yeux au ciel.

— Mais non, ne sois pas bête, c'est un bain à bulles !

Sam a ouvert la fenêtre.

— Oh, le rêve ! En plus, la terrasse donne sur la mer !

Mais nous n'avions pas encore vu les chambres…

Nous avons poussé une porte, et là, ça a été l'hystérie totale.

Sous nos yeux ébahis se trouvait la chambre idéale : grande, claire, avec un lit à baldaquin orné de voilages blancs…

— Je l'ai vue la première ! a hurlé Alex.

— Non, c'est moi !

— Allons, allons, cette pièce est faite pour moi, ai-je affirmé. Je pourrais y ranger toute ma collection printemps-été-automne-hiver !

Sam ne l'entendait pas de cette oreille.

— Désolée, Clover, mais à la place de ta garde-robe, je verrais bien ma bibliothèque.

— Enfin, les filles, vous oubliez que j'ai besoin d'espace pour m'entraîner au Tae-kwon-do !

— Dans tes rêves, ai-je répliqué, si cette pièce savait parler elle crie-

rait mon nom. Je vois déjà mes grands placards…

— Et moi, mon gigantesque bureau…, m'a coupée Sam.

Sur ce, je suis allée chercher un papier et un crayon.

— Assez de bla-bla, ai-je décrété, nous allons tirer au sort dans les règles de l'art.

J'ai mélangé les petits bouts de papier dans un chapeau que j'ai tendu à Alex.

Elle a pioché et, en dépliant son papier, elle a fondu en larmes (elle est vraiment trop sensible !).

— Clover, a-t-elle hoqueté.

Sam a pioché à son tour, puis a haussé les épaules.

— Pareil ! Bon, puisque le sort en a décidé ainsi… La chambre est à toi, Clover.

— YOUPIIIII ! Je vous jure que ma porte sera toujours grande ouverte pour vous, mes amies !

Mais, soudain, Sam a froncé les sourcils. Elle a fouillé dans le chapeau pour examiner les papiers qui restaient.

— Dis donc, c'est ça que tu appelles dans les règles ? Tu as écrit Clover partout, tricheuse !

Heureusement, juste à ce moment-là, le sol s'est ouvert sous nos pieds. Sauvée par le gong !

Chapitre 2

Quartier général du WOOHP

Mais la dispute a continué alors que nous glissions sans fin dans les tunnels du WOOHP. Et elle s'est poursuivie alors que nous atterrissions en vrac sur la banquette du quartier général.

Sam était rouge de colère.

— Je te signale que, nous aussi,

on a toute une collection de vêtements, Clover !

— Oui, mais je te rappelle que,
nous aussi, on lit des livres, Sam !
ai-je répliqué.

— Tout à fait, a renchéri Alex.
Moi, par exemple, je fais fréquem-
ment mes exercices de Tae-kwon-
do en robe du soir, un livre à la
main.

Jerry a toussoté.

— Loin de moi l'idée d'interrompre ce passionnant débat philosophique, mais en comparaison des événements survenus à l'agence spatiale internationale, il me paraît secondaire.

Nous nous sommes arrêtées net. Et, tentant de retrouver un peu de dignité, nous nous sommes dirigées vers son bureau.

— Au moment du décollage, la navette Spacetron a été victime d'un étrange phénomène, nous a expliqué Jerry. Impossible de la faire atterrir ou de poursuivre le lancement. Elle est bloquée à quelques mètres du sol !

— Bizarre, très, très bizarre, a commenté Sam.

C'était la seule à écouter, Alex et moi, nous étions en train d'admi-

rer le nouvel agencement du QG. Tout était neuf, en acier brossé et en verre, avec des écrans géants extra-plats partout. Les portes étaient entièrement automatisées et il y avait même un tapis roulant au sol pour éviter de se fatiguer à marcher.

— Super, la déco ! a sifflé Alex.

— C'est hyper mode, j'adore ! me suis-je exclamée.

Jerry avait l'air tout gêné (c'est un grand timide, il devient écarlate dès qu'on lui fait un compliment).

— Hum, merci, les filles. Ravi que ça vous plaise.

À mi-voix, j'ai glissé à Alex :

— Si seulement il en avait profité pour se faire relooker…

Il faut vous dire que notre chef bien-aimé est un vrai désastre niveau look : il porte le même costume gris depuis des années, il est chauve et, comble de l'horreur, il a une petite moustache !

— Bien, a-t-il repris, pour cette mission, en plus de votre ceinture-câble élastique et de votre jet-sac à dos, nous vous avons réservé quelques petites merveilles technologiques.

— **Approchez-vous pour la présentation des gadgets**, a annoncé une voix de robot.

J'ai sursauté.

— Qui a parlé ?

— Pas qui, mais quoi, a corrigé Jerry. Je vous présente Gladis. G-L-A-D-I-S : Gadget, Location, Assistance, Dépannage à Intelligence Synthétique.

Un gros machin en forme d'œuf, plein de petites lumières cligno-

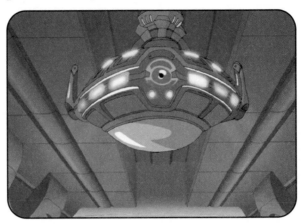

tantes, est descendu du plafond.

— Qu'est-ce que c'est que ça ?
s'est étonnée Sam.

— Mon assistante robotique. Je
l'ai personnellement mise au
point, a affirmé notre chef, tout
fier.

La voix de synthèse a chuchoté :

— Ça, c'est ce qu'il croit...

— Mais vous n'avez pas besoin
d'assistante, ai-je protesté. On fait
tout le boulot.

Jerry nous a prises à part :

— Chuut, vous allez la vexer !
Entre nous, j'ai l'impression que
Gladis est douée d'une personna-
lité autonome.

Sam a levé les yeux au ciel.

— Allons, Jerry, les machines
sont incapables de penser, d'éprou-
ver des sentiments, de... Aïe !

Le robot avait déplié son bras mécanique pour lui flanquer un coup sur les fesses !

Jerry a vite changé de sujet :

— Poursuivons, voulez-vous. Alex, vous serez équipée d'une montre labo-scanner.

Gladis la lui a attachée au poignet avec ses bras de robot.

— Hi, hi ! Ça chatouille, a gloussé Alex.

— Sam, je vous confie le nec plus ultra des sèche-cheveux laser, le Tornado 9000, nom de code « Tempête capillaire ». Quant à vous, Clover, vous héritez d'une mini-chaîne à désintégrateur ultra-sonique.

Sam a récupéré son sèche-cheveux, mais moi, le robot me tendait une simple lime à ongles.

— Euh… je crois que Gladis s'est emmêlé les circuits.

— J'ai dit une mini-chaîne à dés-intégrateur ultrasonique ! a répété Jerry.

— **Négatif !**

Il est devenu menaçant :

— Ne me tenez pas tête, Gladis. Je vous ai connectée, je peux très bien vous déconnecter !

— **Négatif encore. Je me suis connectée toute seule au système informatique central du WOOHP, c'est moi qui commande tout désormais.**

— C'est ce qu'on va voir !

J'envoie les filles en mission et je m'occupe de vous, Gladis.

Notre Jerry, il ne faut pas l'énerver !

— Bon, mesdemoiselles, où en étions-nous ? Ah oui, vous aurez également un lance-mouchard télescopique à identification longue portée : attention, il est réglé pour se déclencher au contact de votre salive uniquement. Enfin, j'ai le plaisir de vous annoncer que nous avons apporté quelques améliorations à vos com-poudriers. Je vous laisse découvrir ça.

Le com-poudrier est notre accessoire fétiche : téléphone portable, mini-ordinateur, appareil photo… il fait absolument TOUT. Je me suis empressée d'essayer cette nouvelle version, en appuyant sur le

bouton « Habillage express ». Et je me suis trouvée rhabillée des pieds à la tête.

— Super, regarde, je suis en commandant de bord !

— Et moi, en chevalier ! a annoncé Sam.

Alex sautillait sur place.

— J'suis un mignon p'tit lapin rose.

Nous avons essayé toutes les tenues possibles et imaginables : princesse, hôtesse de l'air, policière, top-model... mais, au bout d'un moment, le com-poudrier a décidé de nous revêtir de nos combinaisons de Spies.

— Hé, qu'est-ce qui se passe ? ai-je protesté. Je voulais essayer une robe de mariée.

— Désolé, les filles, le devoir vous appelle ! a annoncé Jerry.

Il a appuyé sur un gros bouton rouge et nous avons été propulsées dans les airs.

Aaaaaaaaaaah !

Chapitre 3

12h53

Base spatiale internationale

Quelques secondes plus tard, nous avons atterri pile sur le lieu de notre mission, dans nos combinaisons d'espionnes, avec nos jet-sac à dos, s'il vous plaît ! Décidément, on n'arrête pas le progrès au WOOHP.

— Regardez ! s'est exclamée

Alex. La navette flotte au-dessus du sol.

J'ai levé la tête pour constater :

— On dirait qu'elle est bloquée dans une sorte de champ de force.

Comme d'habitude, Sam a conclu :

— C'est bizarre, très, très bizarre. Allons voir ça de plus près.

Nous avons décollé illico avec nos jet-sac à dos, mais le problème, c'est qu'on ne pouvait pas avancer plus près, justement. Un bouclier invisible d'une puissance phénoménale nous empêchait d'approcher la navette. Nos jet-sac à dos avaient du mal à nous maintenir dans les airs.

— Je vais essayer de contrer le champ de force avec mon Tornado 9 000 pour faire atterrir la navette,

a décidé Sam. Écartez-vous, les filles, ça risque d'être dangereux.

Soudain un cri perçant a retenti :

— Aaaah, au secours, je tombe !

Le jet-sac à dos d'Alex avait lâché, elle allait s'écraser au sol.

Heureusement, le mien fonctionnait encore, je me suis élancée à son secours.

— Tiens bon, Alex, j'arrive !

J'ai foncé et je l'ai rattrapée de justesse… sinon elle aurait fini aplatie comme une crêpe sur la piste de la base spatiale.

Alors qu'elle était dans mes bras, Alex m'a chuchoté :

— Oh, merci, Clover. Tu m'as sauvé la vie ! Tu mériterais qu'on te laisse la grande chambre.

J'étais tellement contente que j'ai bien failli la lâcher.

— Waouh, trop cool ! Enfin… il faut encore convaincre Sam.

Justement, j'ai levé le nez pour voir comment notre grande professionnelle de la coiffure s'en sortait.

— Alors, ça avance, ce brushing ?

Visiblement non, car malgré le souffle surpuissant du Tornado 9 000, la navette flottait toujours

dans les airs. Par le hublot, on voyait les astronautes terrifiés qui hurlaient.

— Je n'y arrive pas, a crié Sam. Je vais passer en mode turbo.

Cramponnée à son sèche-cheveux, elle a envoyé toute la puissance. Rien à faire, la navette ne bougeait pas d'un pouce.

Sam ne savait plus quoi faire, et

ça ne lui arrive pas souvent, je peux vous le dire. Elle a soupiré, abattue :

— Je ne comprends pas, ce champ de force résiste à tout.

Pour une fois, c'est Alex qui a eu une idée géniale (d'habitude, c'est toujours moi, le génie, dans l'histoire !).

— Il ne nous reste qu'une solution : envoyer un échantillon à Jerry pour qu'il nous dise de quoi il s'agit.

Elle a alors absorbé un extrait du champ de force, grâce à sa montre labo-scanner.

Nous étions donc occupées à regarder comment fonctionnait ce nouveau gadget de haute-technologie quand, tout à coup, la navette a commencé à redescen-

dre, tout doucement. Puis elle est venue se poser tranquillement sur la rampe de lancement.

Je n'en revenais pas.

— Ce n'est pas possible ! Qu'est-ce qui se passe ?

— Ça alors, le champ de force disparaît de lui-même, a remarqué Sam.

Alex était hors d'elle.

— Ça veut dire qu'on s'est donné tout ce mal pour rien ?

Dès que la porte de la navette s'est ouverte, les astronautes se sont jetés dans nos bras.

— Vous nous avez sauvé la vie !

— Je ne sais pas comment vous remercier…

Je me suis laissée faire même si nous n'y étions pour rien. Il faudrait être folle pour refuser un bai-

ser de la part de si beaux jeunes hommes…

Mais soudain une jeep est arrivée, dans un crissement de pneus. Un homme qui portait l'uniforme de la base spatiale en est descendu, hors d'haleine :

— Quelqu'un vient de nous voler notre satellite auto-propulsé !

Sam a posé les poings sur ses hanches, furieuse.

— J'en étais sûre, le coup de la navette servait à faire diversion. Le voleur a profité que nous étions occupées ici pour dérober le satellite !

Chapitre 4

12 h 20
Cafétéria du lycée de Beverly Hills

Le lendemain, à midi, devant nos plateaux-repas de la cafét, nous cherchions toujours comment régler le problème capital de l'attribution des chambres.

— Bon, alors on joue à « pierre, feuille, ciseaux », ai-je suggéré.

Alex a secoué la tête.

— Non, tu vas encore tricher.

— On ne peut pas tricher à ce jeu, voyons, me suis-je défendue.

— Si, a affirmé Sam, toi, tu en es capable.

— Vous avez une autre proposition ?

— Je pense qu'on devrait se concentrer sur notre mission, a décrété Alex.

J'ai ouvert de grands yeux.

— Comment peux-tu penser à cette histoire de satellite disparu alors qu'on ne sait toujours pas qui va avoir la grande chambre !

Soudain, un ricanement que je ne connaissais que trop bien a retenti dans mon dos.

C'était cette peste de Mandy ! En voilà une que j'aurais bien lancée en orbite autour de la planète Mars.

— Hé, Clover, tu es sûre que la loi n'interdit pas de porter des tenues aussi ringardes ? a-t-elle gloussé.

J'allais lui envoyer une réponse bien sentie, mais elle m'a coupée :

— Oups, garde ta réplique au chaud, j'ai la tête ailleurs pour le moment, a-t-elle susurré, fascinée par les muscles d'un gros bêta qui passait par là.

Mais je n'ai jamais eu l'occasion de répliquer parce que, pendant qu'elle avait le dos tourné, Jerry nous a woohpées. Oui, il nous a aspirées comme ça, en plein milieu de la cafétéria.

J'imagine la tête qu'a faite Mandy en découvrant qu'on avait disparu. Ha, ha, ça lui apprendra !

À peine le temps de dire « ouf ! »

et nous nous sommes retrouvées à cinq mille mètres d'altitude, dans l'avion du WOOHP.

— Je n'interromps rien d'important, j'espère ? a demandé Jerry, toujours courtois.

Beaucoup moins courtoisement, j'ai hurlé :

— Non, nous décidions juste du devenir de nos existences, c'est tout !

— Parfait, ça attendra, dans ce cas, a déclaré calmement notre chef.

Ça alors, quel culot !

— Bien, a repris Jerry, l'échantillon que vous m'avez fait parvenir provient d'une formule anti-gravité que l'agence spatiale expérimentait dans les années quatre-vingt.

— Et vous nous avez dérangées pour ça ! ai-je grommelé.

Là, il a fallu que Sam ramène sa science :

— Attendez une minute, c'est très intéressant. J'ai lu un article là-dessus : l'astronaute qui testait la formule n'est jamais rentré de mission et le programme a été abandonné.

Heureusement, une voix de robot a interrompu son numéro de Mlle-Je-sais-tout.

«Alerte rouge dans le secteur 4!» a annoncé l'ordinateur de bord.

— On nous signale un cambriolage dans un centre qui fabrique des systèmes de guidage, a expliqué Jerry. Regardez la vidéo de surveillance.

Sur l'écran, nous avons vu un

homme vêtu d'une sorte de combinaison spatiale qui pénétrait dans
le laboratoire, ni vu, ni connu,
malgré les rayons de détection.

— C'est fou, comment s'y
prend-il pour ne pas déclencher le
système d'alarme ? s'est étonnée
Alex.

Jerry nous a souri.

— Ça, c'est à vous de me le dire,
les filles ! Je vous dépose ?

— Une seconde, ai-je protesté, on n'a toujours pas décidé qui aurait la plus grande chambre.

— J'ai une solution, a annoncé Jerry.

— Ah, laquelle ? avons-nous demandé en chœur.

Là, il a appuyé sur un gros bouton rouge et le sol s'est ouvert sous nos pieds. Aaaaaaaah !

15h53

Centre d'études en systèmes de guidage

Nous avons atterri en douceur près du laboratoire qui venait d'être cambriolé. Avec un peu de chance, nous allions pouvoir surprendre le voleur. Mais, dès l'entrée, nous avons rencontré un problème de taille : le hall était quadrillé de faisceaux de détection laser.

— On ne peut pas avancer, un seul faux pas et l'alarme se déclenche, a soupiré Sam.

Comme je sortais mon com-poudrier, elle s'est indignée :

— Le moment me semble mal choisi pour se refaire une beauté, Clover !

— D'abord, sache qu'il n'y a pas de mauvais moment pour se remaquiller et que, de toute façon, je comptais utiliser le miroir pour dévier les rayons et nous frayer un passage ! ai-je répliqué.

— C'est une idée totalement géniale ! s'est exclamée Sam, épatée.

Malheureusement, lorsque j'ai voulu renvoyer les rayons avec mon miroir, ils se sont multipliés. Il y en avait partout, un vrai filet de pêche !

— Oups, désolée !

— Je retire ce que j'ai dit, a râlé Sam. C'est une idée totalement idiote.

Sans prévenir, Alex a reculé de quelques pas pour prendre son élan.

— Attendez, je vais essayer autre chose.

Et là, comme une acrobate de

cirque, elle a enchaîné roues, roulades, rondades et autres figures de gymnastique. Comme elle s'entraîne beaucoup en arts martiaux, elle est souple comme une anguille et n'a eu aucun mal à se faufiler entre les rayons détecteurs.

Une fois arrivée de l'autre côté, elle a déclaré d'un ton modeste :

— Voilà, je pensais à quelque chose comme ça.

— Bon, ben, y a plus qu'à, ai-je murmuré.

Sam et moi, nous avons suivi son exemple avec un peu moins de brio, car nous sommes légèrement moins souples, il faut bien l'avouer. Enfin, le principal, c'est que nous avons franchi la barrière de détection, puis débouché dans la salle de contrôle du labo. Tous les

employés flottaient en apesanteur,
pris dans un champ de force.

— Hum, notre voleur a trouvé
une technique radicale pour se
débarrasser de ceux qui le gênent,
a constaté Sam. Il les prive de gravité, grâce à la fameuse formule.

— Ça doit être rigolo de flotter
dans les airs comme ça, a remarqué Alex. J'aimerais bien essayer…

Je l'ai tirée par le bras.

— Eh bien, pour l'instant, on n'a pas trop le temps de s'amuser. J'ai entendu un bruit, venez !

C'était un drôle de son, comme un souffle : psscchh ! Il nous a guidées jusqu'à une salle immense.

— Regardez, c'est l'homme que nous avons vu sur l'écran de vidéo-surveillance ! me suis-je exclamée. Il faut l'attraper !

Il y avait juste un petit détail gênant, c'était que, grâce à sa combinaison d'astronaute, le bonhomme volait dans les airs en faisant pschh-pschh !

— Voilà comment il a réussi à échapper aux faisceaux de détection ! a constaté Sam.

Nous avons voulu le coincer, mais dès que nous sommes entrées dans la pièce, nous avons quitté le

sol… comme si nous ne pesions plus un gramme ! Alex faisait des galipettes dans les airs, tandis que Sam nous faisait un petit cours de physique, la tête en bas.

— Nous sommes en apesanteur ! Grâce à la formule, monsieur le cosmonaute a annulé la gravité de cette pièce.

Ça commençait à m'énerver, cette histoire.

— N'empêche que je vais lui régler son compte, à ce rigolo avec son bocal à poissons sur la tête ! ai-je hurlé.

Mais c'était plus facile à dire qu'à faire, car son atroce combinaison munie de propulseurs lui permettait de se diriger où il voulait, alors que nous flottions dans les airs sans pouvoir contrôler nos dépla-

cements. Quand j'ai voulu l'attraper, il m'a esquivée et j'ai lamenta-
blement fini ma course dans le
mur.

— Attention, il s'échappe ! ai-je
gémi en me frottant le crâne.

— Pas de panique, je vais lui lancer un micro-émetteur pour qu'on
puisse le repérer, a crié Alex.

En se cramponnant à une
console de commande pour ne pas
s'envoler, elle a mis le pistolet
lance-mouchard dans sa bouche et
a visé le gros méchant avant qu'il
ne s'enfuie pour de bon.

— Touché ! Bravo !

Mais la pauvre Alex toussait tant qu'elle pouvait.

— Pouarc ! C'est infâme, ce truc ! Il faudrait le parfumer au chocolaa-aaaaaaaah !

En toussant, elle avait lâché la console à laquelle elle s'agrippait. Alex s'envolait, aspirée par le sys-

tème de climatisation. Le gros ven-
tilateur allait la trancher en ron-
delles comme un concombre !

— Ne t'en fais pas, je te tiens ! a
hurlé Sam en lui attrapant le pied.

Mais elle a été entraînée, elle
aussi.

Il ne restait plus que moi pour les
sauver. N'écoutant que mon cou-
rage, j'ai accroché ma ceinture-
élastique à une grosse machine
fixée au sol et je suis allée chercher
mes amies, au péril de ma vie !

— Accrochez-vous au câble pour
avancer, comme des alpinistes en
montagne, ai-je ordonné. On va
essayer de sortir de la salle pas à
pas.

Ma super technique a fonc-
tionné. Une fois dans le couloir,
lorsque nous avons retrouvé la

terre ferme, les filles m'ont serrée dans leurs bras.

— Oh, merci ! Clover ! On te revaudra ça !

— Oui, demande-nous tout ce que tu voudras, a affirmé Sam.

— Eh bien… Vous pourriez me laisser la grande chambre…

— CLOVER !!!

Chapitre 6

 lбh22
Au cœur
du désert

Après toutes ces émotions, il fallait encore retrouver l'astronaute fou. Le signal du micro-émetteur nous a conduites en plein cœur du désert.

— Je ne comprends pas, se lamentait Sam. Il y a deux points qui clignotent sur mon com-pou-

drier. Comme si un des émetteurs était tout près de nous…

— Ce doit être une erreur de fabrication, ai-je assuré, il faudra prévenir Jerry.

Alex est devenue toute rouge.

— Euh, non, c'est ma faute. Je crois que j'ai avalé un émetteur en mettant le lance-mouchard dans ma bouche…

Sam lui a lancé un regard noir.

— Et il est où ?

Alex a montré son estomac du doigt.

— Là !

— Eh bien, tu n'as qu'à manger un kilo de pruneaux et hop ! le tour est joué ! ai-je conseillé.

Cette fois, c'est moi que Sam a fusillée du regard.

— C'est bon, on peut quand même plaisanter !

En m'ignorant royalement, elle a repris :

— D'après le signal du second mouchard, notre homme doit se trouver dans ces rochers. En route !

Toutes penaudes, Alex et moi, nous l'avons suivie. C'était un décor très étrange : une grande

plaine rouge, avec d'immenses rochers ocre. On se serait crues sur une autre planète.

— Je me demande bien pourquoi il veut installer un système de guidage satellite en plein désert, a remarqué Alex.

— Il en a peut-être assez de ne pas recevoir correctement la télé. Moi, sans les chaînes satellites, je ne sais pas ce que je deviendrais…

— Tais-toi, Clover. On approche.

C'est ça que je déteste chez Sam. En mission, elle n'est vraiment pas rigolote. Mais je me suis tue car, derrière les rochers, nous avons découvert… une vieille navette spatiale !

Si, je vous jure, le vaisseau de Star Wars échoué en plein désert. Nous

sommes entrées prudemment à l'intérieur.

— Waouh ! Pas mal, la déco ! s'est exclamée Alex.

Bof, moi, je trouvais que ça datait un peu. En plus, celui qui vivait ici ne devait pas être une fée du logis, car il y avait plein de trucs qui traînaient par terre.

— Je sais ! me suis-je exclamée. Puisque ça vous plaît, Sam et toi,

vous emménagez ici. Et moi, je prends la grande chambre à la maison.

— Ne dis pas de bêtises, a cinglé Sam en ramassant un morceau de papier par terre. Tiens, tiens, voilà qui est intéressant.

Je me suis penchée pour regarder la photo.

— Avec une coupe de cheveux

pareille, pas étonnant qu'il se cache !

Sam a poursuivi sa lecture :

— C'est lui ! Il s'agit bien de l'astronaute responsable du programme anti-gravité. L'article dit que…

Une voix caverneuse a tonné au-dessus de nos têtes :

— « Le major Smell a tragiquement disparu lors d'une mission d'expérimentation bla, bla, bla… » Ils m'ont abandonné, oui ! Tout seul dans l'espace ! Mais l'heure de la vengeance a sonné, le monde va connaître les souffrances que j'ai endurées !

Il avait l'air sévèrement secoué, l'astronaute.

Je me suis jetée sur lui, mais une fois de plus, il m'a esquivée. Sam et

Alex ont essayé de le prendre en tenaille : rien à faire, il était enragé ! Nous nous sommes battues comme des lionnes. Je n'exagère pas, le WOOHP nous a formées aux meilleures techniques de combat. Mais avec sa combinaison à propulseurs, le major Smell était insaisissable. Il a fini par nous capturer et nous a attachées toutes les trois au satellite qu'il avait dérobé sur la base spatiale.

— Ce satellite auto-guidé avec à son bord mon générateur anti-gravité se mettra en orbite autour de la Terre ! Ce sera ma vengeance : je vais priver la population mondiale de la gravité.

Avec un ricanement dément, il a appuyé sur un gros bouton rouge (je déteste les gros boutons rouges !)

— Bon voyage, mesdemoiselles !

Le satellite a décollé. Ce fou avec son bocal sur la tête nous avait carrément envoyées dans l'espace !

Chapitre 7

17h10

Quelque part dans l'espace

Ça n'allait pas du tout, mais pas du tout, du tout. Avec le WOOHP, j'ai l'habitude d'être éjectée au milieu des nuages, larguée en pleine mer, expédiée au fin fond de la jungle... mais être envoyée

dans l'espace, ça ne m'était jamais arrivé ! Jamais.

— Il faut qu'on fasse quelque chose, ai-je dit entre mes dents, crispée comme j'étais.

— Oui, mais quoi ? a pleurniché Alex.

J'ai remarqué que Sam se tortillait dans tous les sens.

— Tu fais des abdos, Sammie ?

— Non, je me débrouille pour que les flammes du réacteur brûlent la corde qui me ligote.

J'ai beau dire, elle est quand même sacrément intelligente, notre Sam. En moins de temps qu'il n'en faut pour le dire, elle s'est libérée et elle est venue nous détacher.

— Vite, le satellite commence déjà à émettre des rayons anti-gravité. Vous imaginez la panique sur la Terre ?

— Il faut faire quelque chose, ai-je répété.

— Oui, mais quoi ? a sangloté Alex.

J'avais l'impression d'avoir déjà vécu cette scène. Heureusement, une fois encore, Sam est intervenue :

— Ce satellite doit bien avoir un programme qui le fait fonctionner, il suffit de le déprogrammer. Clover, tu t'en charges, pendant qu'Alex et moi, on retourne sur Terre pour capturer le major Smell.

Ben, voyons ! Je n'ai même pas eu le temps de protester, elles avaient déjà filé avec leurs jet-sac à dos.

J'étais toute seule dans l'espace, cramponnée à un gros monstre d'acier qui menaçait la planète entière, et il fallait que je le désactive. Moi qui ne sais même pas taper 2+2 sur une calculatrice. Pas de problème !

Je me suis glissée à l'intérieur du satellite en rampant. C'est bien simple, il n'y avait que des bou-

tons, des boutons et des boutons.
Des rouges, des bleus, des verts.
Des qui clignotent, des qui ne cli-
gnotent pas. Et j'étais censée
déprogrammer cette machine.
Bien, bien, bien…

Soudain, j'ai eu une illumina-
tion. Un éclair de génie. J'ai vu un
truc qui ressemblait à un magné-

toscope. Une fente avec un gros bouton à côté. J'ai appuyé dessus… et une sorte de bidule rectangulaire en est sorti.

Il y a eu une série de bips stridents, une voix de synthèse a articulé : « Mise en orbite déprogrammée » et le satellite a commencé à redescendre vers la Terre.

Mission accomplie !

Il est venu sagement se poser dans le désert près du repaire du major Smell. Pendant ce temps, les filles avaient réussi à le coincer.

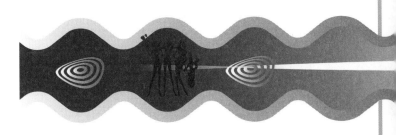

Sam le tenait en joue avec le Tornado 9 000. Sa combinaison à propulseurs n'était pas assez puissante pour lutter contre le souffle du sèche-cheveux. Il était immobilisé. J'en ai profité pour lui faire un petit discours :

— Merci, major ! J'ai adoré ce petit voyage dans l'espace. La

Terre est tellement belle, vue du ciel. Mais j'ai préféré annuler votre programme anti-gravité. Sans pesanteur, impossible de réussir un brushing correct, et ça, c'est intolérable, ai-je déclaré.

— On te laisse le plaisir de le ligoter, m'a dit Alex.

J'ai donc saucissonné notre astronaute avec une bonne vieille corde, au cas où il tenterait de s'envoler à nouveau.

— Et voilà, mission totally réussie ! s'est exclamée Sam. J'ai hâte de dire à cette peste de Gladis qu'on n'a pas eu besoin de sa lime.

— Ouille ! ai-je gémi.

— Qu'est-ce qu'il y a ? s'est inquiétée Alex.

— Je crois que je vais en avoir

besoin, justement, je viens de me casser un ongle en faisant un nœud !

Chapitre 8

18h00
Villa des Spies

— Si, si, Clover, tu l'as bien mérité ! a affirmé Sam.

— Tu nous as sauvé la vie, a renchéri Alex.

— Tu as même sauvé l'humanité tout entière, a corrigé Sam. C'est de bon cœur qu'on te laisse la plus grande chambre.

— Vous êtes trop chou, les filles !

Je leur ai sauté au cou et nous avons toutes hurlé en chœur :

— Amies pour la vie !

Après quoi j'ai vite filé défaire mes cartons avant qu'elles ne changent d'avis.

Génial, j'avais la plus grande, la plus belle, la plus somptueuse chambre de la villa ! C'était normal, après tout, ne suis-je pas la plus canon, la plus sexy, la plus cool des Spies !

Je chantonnais toute seule :

— Qui est-ce qui a la plus belle chambre ? C'est Clover ! Tralalala lala lalère ! Tiens, voyons si j'ai vue sur la mer…

Je suis allée à la fenêtre pour remonter le store. Et là… CATASTROPHE ! Je me suis retrouvée nez à nez avec…

Je vous laisse deviner.

Non, pas Madonna.

Ni Britney Spears. Non, non, non. Cherchez encore.

Une fille de mon lycée.

Mon ennemie jurée…

Mandy ! Ma nouvelle voisine ! ! !

Totally Spies!

Disco Spies

Chapitre 1

9 h 55
Cafétéria du centre commercial

Ce matin-là, nous étions arrivées au centre commercial aux aurores, car c'était le grand jour : le début des soldes ! Pour faire le plein d'énergie avant la ruée, nous avions décidé de prendre un milk-shake ou un jus de fruits à la cafétéria. Le compte à rebours avait

commencé, les magasins allaient bientôt ouvrir...

— Bon, vous êtes prêtes, les filles ? ai-je demandé. Parées pour les soldes ?

— Oui, j'ai mon porte-monnaie, la liste de toutes les boutiques où je veux aller, la liste de tous les vêtements que je veux essayer et j'ai même mis mes baskets pour éviter les ampoules, a confirmé Alex.

Mais Clover s'est levée, son verre à la main, en expliquant :

— Finissez tranquilles, les filles. J'ai quelques rendez-vous.

Ses « quelques rendez-vous » (une dizaine en tout, éparpillés dans la salle) ont levé la main pour lui faire signe.

— Hé ! a protesté Alex. Les boutiques vont ouvrir dans cinq minutes,

qu'est-ce que tu fabriques, Clover ?

— T'inquiète, j'ai seulement dix garçons à voir !

— Dix ! me suis-je exclamée. Mais ça va te prendre la journée !

— Mais non, pas en mode flash-express. Dix garçons, trois questions, dix secondes par question... j'en ai pour cinq minutes, top chrono !

Et elle est allée rejoindre le premier garçon de sa liste, bloc-notes en main.

— Signe astrologique ? a-t-elle demandé.

— Euh... Sagittaire, a répondu le pauvre gars.

— Ah, dommage. Salut !

Elle a rayé son nom de la liste avant de passer au suivant.

— Ton groupe préféré ?

— Les Mégapops.

— Connais pas. Salut. Au suivant.

Et ainsi de suite jusqu'au dernier. Effectivement, cinq minutes plus tard, pas une seconde de plus, elle était de retour.

— Et voilà le travail ! Les numéros 3, 6 et 9 ont droit à un deuxième rendez-vous : la prochaine fois, ils auront une minute

entière pour me convaincre ! Alors, on va les faire, ces soldes ?

Alex a levé les yeux au ciel, effarée. Moi, j'ai soupiré :

— Espérons seulement qu'elle ne compte pas faire les magasins en mode flash express !

Chapitre 2

IO h OO

Centre commercial de Beverly Hills

— Et c'est parti pour une journée totally soldes ! ai-je lancé en poussant la porte de la première boutique.

—J'ai repéré une petite robe top mode. J'espère qu'ils ont encore ma taille, a annoncé Clover en fonçant dans les rayons.

— Et moi, je craque pour ce sac turquoise ! s'est exclamée Alex.

Mais alors que nous commencions nos courses, un vacarme de verre brisé et de tôle froissée a retenti. Nous nous sommes précipitées hors de la boutique : un camion avait surgi au beau milieu du centre commercial. Et il fonçait droit devant, renversant tout sur son passage, tandis que les clients s'écartaient, terrifiés.

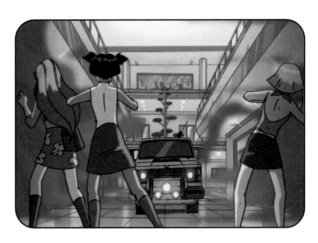

— Ça alors, mais qu'est-ce qu'il vient faire là ? me suis-je indignée.

— Il ne sait pas que c'est notre centre commercial chéri, pas un circuit automobile ? a renchéri Alex.

— En plus, il est atroce, ce camion ! Quel mauvais goût ! a remarqué Clover, en faisant une moue dégoûtée.

Effectivement, il était décoré de motifs plus délirants les uns que les autres : chevaux, fleurs étoiles, le tout dans des couleurs criardes... pas du tout Spies.

Alors que nous le regardions, les poings sur les hanches, il a fracassé la vitrine d'un magasin d'informatique et s'est arrêté dans un atroce crissement de pneus. Une bande de filles en pantalon pattes d'élé-

phant et débardeurs à paillettes en est sortie.

— T'as vu les coiffures ? a soufflé Clover, médusée. Et leurs tenues ? On dirait la pochette d'un album de disco !

C'est vrai que les filles avaient des brushings pas possibles, mais moi, ce que je voyais surtout, c'est qu'elles étaient en train de dévaliser le magasin ! Elles avaient formé une chaîne et se passaient des car-

tons de matériel informatique que d'autres chargeaient dans le camion. Tout ça était sacrément bien rodé.

— Non, mais où elles se croient, ces folles du disco ? a rugi Clover.

— Elles s'imaginent qu'elles peuvent venir se servir dans notre centre commercial et qu'on va les regarder sans rien faire ? a poursuivi Alex.

— Eh bien, elles se trompent ! ai-je conclu.

Aussitôt, les Spies sont passées à l'action. Nous nous sommes placées en travers de la route du camion pour l'empêcher de repartir. Mais le conducteur, un grand type avec des cheveux longs et des lunettes roses, a dégainé un engin étrange et nous a tiré dessus. Nous

avons été projetées dans le bassin central du centre commercial. Oui, oui, au milieu des poissons rouges. Super.

Alors que nous pataugions dans les nénuphars, les filles en pantalon pattes d'ef sont remontées dans le camion, qui a redémarré, chargé à ras bord d'ordinateurs et de matériel électronique... Pour disparaître subitement dans un gros nuage de fumée rouge !

Comme vous pouvez aisément l'imaginer, nous étions vertes de rage. Et trempées.

— On ne va pas se laisser faire ! a crié Alex, levant le poing.

— Oui, ils n'ont pas le droit de venir saccager nos boutiques, a affirmé Clover. Surtout dans une tenue aussi ridicule !

Moi, je réfléchissais. J'avais remarqué un détail...

— Vous avez vu l'engin qu'a brandi le chauffeur, les filles ? Ce n'était pas un revolver. On aurait dit l'ancêtre du Tornado 9000, le sèche-cheveux laser tempête capillaire. Pourtant, à ma connaissance, personne d'autre que nous n'a accès aux gadgets du WOOHP. C'est bizarre, vraiment bizarre...

Chapitre 3

11 h 30
Quelque part dans Los Angeles

Pour en avoir le cœur net, j'ai voulu appeler Jerry avec mon compoudrier, mais le réseau était coupé. Bizarre, de plus en plus bizarre...

Nous avons donc pris la Spiesmobile pour foncer au quartier

général, histoire de comprendre ce qui se passait.

Mais en arrivant devant le gratte-ciel du WOOHP, nous avons totally halluciné. Au lieu du grand W géant, initiale de notre organisation secrète, l'immeuble était maintenant surmonté d'un immense panneau... représentant un patin à roulettes !

— Jerry aurait pu nous prévenir qu'il faisait redécorer le WOOHP, quand même ! s'est étonnée Alex.

— C'est quoi, ce roller préhistorique ? s'est moquée Clover. Ça ne se fait plus depuis des années !

Nous n'étions pas au bout de nos surprises. L'entrée de l'immeuble avait également été transformée : à la place du hall d'accueil super design se trouvait une sorte de boîte de nuit, fermée à cette heure de la journée.

— Disco Roller, ai-je lu sur un panneau. Une discothèque pour amateurs de rollers... Ce doit être une couverture pour masquer les activités du WOOHP.

Alex a fait la grimace.

— Drôle d'idée ! Et comment on fait pour aller voir Jerry, nous ?

— Il n'y a qu'une solution : l'escalade ! ai-je décrété en sortant des cordes du coffre de la Spies-mobile.

Nous avons grimpé jusqu'à l'étage du bureau de Jerry... pour découvrir que les fenêtres étaient condamnées, fermées par des planches de bois. Mais il en faudrait plus pour nous arrêter !

Arrachant un panneau, nous avons pu constater que les bureaux étaient vides. Plus que vides même, complètement déserts. Il n'y avait plus personne, plus rien. Plus d'ordinateurs, plus de Gladis, plus de gadgets, plus de Jerry !

Alex, toujours aussi naïve, s'est écriée :

— C'est fou, ça ! Jerry aurait pu nous dire qu'il partait en vacances !

Clover, plus réaliste, a répliqué :

— Tu parles, il a déménagé sans laisser d'adresse. Ça veut dire que nous sommes virées !

— Attendez une minute, les filles, suis-je intervenue. Je vais essayer de le joindre avec le compoudrier.

Toujours rien. Le WOOHP s'était volatilisé.

— Je vais me connecter sur la fréquence de la police, voir si on a signalé quelque chose d'étrange ces derniers jours... Ça alors ! Plus d'une vingtaine de magasins d'informatique ont été cambriolés dans la région. Et toujours de la même façon, un van à fleurs a défoncé la vitrine !

— Bon, on peut deviner où les folles du disco vont frapper la prochaine fois, a soupiré Clover. On va aller leur dire deux mots, et j'en profiterai pour leur donner une petite leçon de mode.

— Oui, même si Jerry n'est plus là, on ne va pas laisser les voleurs

faire la loi dans notre ville, a renchéri Alex.

C'est comme ça que nous nous sommes retrouvées cachées dans notre Spies-mobile, devant le magasin Gigatronic – qui n'est absolument pas notre boutique préférée, vous vous en doutez. Mais nous guettions le fameux camion...

Clover a bâillé.

— Oh ! Être en planque, c'est d'un ennui... Je sais ! s'est-elle exclamée. Je vais lancer deux ou trois rendez-vous flash-express !

Mais alors qu'elle dégainait son portable, un nuage de fumée rouge a envahi la ruelle... et le van a surgi de nulle part ! Les cambrioleurs ont brisé la vitrine, vidé le magasin et sont repartis aussi vite

qu'ils étaient venus. Exactement comme au centre commercial.

— Hé, Sam ! Qu'est-ce que tu attends ? Démarre ! a hurlé Clover.

— Hein ? Euh... Ah oui ! ai-je bafouillé, le temps de reprendre mes esprits.

J'ai appuyé sur l'accélérateur et la Spies-mobile s'est lancée à la poursuite du camion psychédélique.

Il a essayé de nous semer en prenant par des petites rues, à droite, à gauche, encore à droite... Mais je tenais bon, cramponnée au volant. Quand soudain...

— Qu'est-ce qu'il fabrique ? Il fonce droit dans le mur ! ai-je crié.

— Ne le lâche pas, Sam, m'a ordonné Clover. Il faut savoir où il va !

—Je sais où il va : dans le mur ! Il va s'écraser... Aaaaaah !

Sous nos yeux ébahis, juste avant de heurter le mur, le camion a disparu dans un gros nuage de fumée rouge. Et nous l'avons suivi !

Chapitre 4

15 h 30
De l'autre côté du mur

Nous nous sommes retrouvées de l'autre côté du mur, sans la moindre égratignure. Le camion roulait toujours à fond devant nous.

— C'est étrange, il fait beau, de ce côté-ci, a remarqué Alex.

— Et je ne reconnais pas vrai-

ment la ville. Il y a quelque chose qui cloche...

— Je sais ! s'est exclamée Clover. Les boutiques ont disparu ! Regardez, Mode 3000, envolé ! Bijou Futur, volatilisé !

— Bon, on résoudra ce mystère plus tard, si vous permettez. Pour l'instant, il faut qu'on rattrape ce camion. On aurait bien besoin d'un des gadgets du WOOHP. Alex, fouille dans la voiture, voir ce que tu peux trouver.

Alex a vidé le bazar qui encombrait la boîte à gants.

— Lunettes de soleil... gloss... Hé, regardez ! Une photo du réveillon du WOOHP. Jerry avait mis son smoking.

— Et j'avais une robe totally classe, a commenté Clover. Tu n'es

pas mal non plus, Sam. Il faudrait que tu te fasses cette coiffure plus souvent.

— Allô, la Terre ? Je vous rappelle qu'on cherche un gadget ! ai-je râlé. (Je sais que je suis un peu rabat-joie mais, si je n'étais pas là, les filles feraient n'importe quoi !)

Alex a pouffé.

— Ah oui, c'est vrai ! Tiens, j'ai trouvé ce qu'il nous faut. Une barrette-balise ! Approche-toi le plus

possible du camion, je vais la poser sur son antenne pour qu'on puisse suivre sa piste sur le com-poudrier.

Je me suis collée au pare-chocs du camion de sorte qu'Alex, en équilibre sur le capot, puisse fixer la balise sur l'antenne. Heureusement, le WOOHP nous a fait suivre un entraînement de choc et nous avons l'habitude de ce genre d'acrobaties. Surtout Alex, qui est une vraie fan des arts martiaux.

Une pirouette, et hop ! Elle est revenue s'asseoir dans la Spies-mobile.

— Et voilà le travail ! La balise est en place !

— Bravo, agent Alex, l'a félicitée Clover.

Au carrefour suivant, j'ai regardé à droite, puis à gauche, mais je

n'avais aucune idée d'où nous nous trouvions.

— Bon sang, je ne reconnais rien ! On ne devrait pas approcher de notre lycée, normalement ? ai-je demandé.

— Si ! s'est écriée Alex. Regarde, le voilà !

C'était notre lycée, d'accord... mais avec des banderoles partout, des fleurs, des cœurs et de drôles de slogans qui parlaient d'amour et de paix. Et, surtout, tous les élèves étaient habillés de façon vraiment surprenante.

Clover a écarquillé les yeux.

— Oh, là, là ! On reconnaît les bâtiments, mais question style, bonjour le mauvais goût !

— C'est une fête déguisée sur le thème des années 70 ou quoi ? s'est étonnée Alex.

Soudain, nous avons entendu quelqu'un crier dans notre dos :

— Originales, vos tenues, les

nouvelles ! Vous attendez une soucoupe volante ou quoi ?

Clover s'est retournée, furieuse, pour faire face à son ennemie jurée.

— C'est bon, je n'ai pas de leçon de mode à recevoir de toi, Mandy !

— Ah non, moi, c'est Janice, a répondu l'autre. Mais j'aime bien ce prénom. Si j'ai une fille, plus tard, peut-être que je l'appellerai Mandy.

La plaisanterie avait assez duré. Je suis intervenue :

— Arrête de te moquer de nous, Mandy. Explique-nous plutôt ce qui se passe. Pourquoi êtes-vous tous habillés comme ça ?

— Cool, ma sœur ! Les vêtements, c'est superficiel. La mode endort ta conscience, il faut libérer

ton esprit. Tiens, j'ai écrit un article sur le sujet dans le journal du lycée, si tu veux.

Elle m'a tendu un magazine tout bariolé, avant de partir en lançant :

— *Peace and love,* les filles. Paix et amour, toujours !

— J'ai l'impression d'avoir changé de planète, a commenté Alex.

— On n'a pas changé de planète, mais on a changé d'époque, ai-je répliqué en brandissant le journal. Regardez la date sur la couverture. Nous sommes en 1975 !

Les filles ont pâli.

— Les années 70... ça signifie pas de mobile, pas de CD, pas d'ordinateur portable ! a réalisé Clover.

— Autant dire, retour à la préhistoire, a complété Alex.

Comme d'habitude, j'ai pris la situation en main :

— Pas de panique, on va trouver une solution !

— Attends, Sam, c'est un drame ! m'a coupée Clover, au bord des larmes. Ça veut aussi dire que mes rendez-vous flash-express ne sont pas encore nés !

Mais je ne l'écoutais déjà plus,

j'étais en train de réfléchir tout haut :

— Ce camion psychédélique a dû franchir un portail temporel, et nous aussi, par la même occasion ! Si on veut retourner à notre époque, il faut le retrouver. En attendant, essayons de ne pas trop attirer l'attention.

Janice avait raison : nos combinaisons d'espionnes se remarquaient à cent mètres !

J'ai sorti mon com-poudrier et j'ai appuyé sur la touche « Habillage express ». En moins d'une seconde, je me suis retrouvée en style seventies de la tête aux pieds : pantalon pattes d'éléphant, petite brassière ajustée et bandeau dans les cheveux.

— Waouh ! Top disco ! s'est

écriée Alex avant de se changer elle aussi.

Elle était trop mignonne avec ses lunettes de star et sa nouvelle coupe courte.

Clover, elle, a hérité d'un brushing plein de volume, totally 70. Toujours modeste, elle a déclaré :

— En fait, peu importe les modes, avec ma classe naturelle, tout me va à ravir.

Parfait, nous étions prêtes à nous fondre dans le décor. Il restait juste un petit détail à régler.

— Je me demande si le com-poudrier fonctionne aussi sur les voitures.

Pour le savoir, j'ai appuyé sur la fameuse touche et notre Spiesmobile a été relookée elle aussi ! Ailerons, phares, jantes : nous avons embarqué dans notre nouvelle disco-décapotable !

Chapitre 5

17h00

Dans un entrepôt de Los Angeles

Il ne nous restait plus qu'à retrouver le van à fleurs. J'ai repris le volant tandis qu'Alex me guidait, com-poudrier en main.

— Le signal de la balise indique qu'il faut tourner à gauche, m'a-t-elle informée. Là, sur ce parking.

— Le camion doit être caché dans cet entrepôt, a suggéré Clover.

En espionnes hyperpros, nous nous sommes faufilées sans bruit à l'intérieur. Le hangar était désert, rempli de cartons de matériel informatique, mais aussi de drôles d'appareils.

— Génial ! a fait Clover en se précipitant sur un gros machin noir avec une petite fenêtre et plein de boutons. Un magnéto-phone à cassettes, l'ancêtre du lec-teur CD !

Alex a décroché un vieux télé-phone orange avec un cadran et un fil tire-bouchonné.

— Qu'est-ce que c'est que ce bidule ? On dirait une queue de cochon.

— C'est un téléphone filaire, lui

a expliqué Clover. Regarde, tu composes le numéro en faisant comme ça...

Mais là, le combiné a lâché un nuage de poudre à éternuer. Titubant, Alex s'est effondrée dans un fauteuil boule qui s'est aussitôt refermé sur elle.

— Au secours ! Je suis prisonnière !

Nous l'avons vite libérée. Alex, c'est un peu notre petite sœur. On a l'habitude : elle fait des bêtises... et on les répare.

— C'est fou, avec tous ces vieux gadgets, on se croirait dans le musée du WOOHP ! ai-je remarqué.

Un bruit de moteur m'a fait taire. Le camion arrivait ! Vite, nous nous sommes cachées derrière les cartons pour voir qui en sortait.

Et là, nous avons eu la surprise de notre vie.

Le conducteur, l'homme aux cheveux longs qui nous avait visées avec l'espèce de Tornado, a ôté ses lunettes roses...

— Aaaaah... c'est JERRYYYYY ! avons-nous hurlé en chœur.

— Oui, mais avec trente ans de moins et quelques cheveux en plus ! a complété Clover. Et ce look ! Vous avez vu la chemise ouverte jusqu'au nombril ?

Jerry s'est figé. Évidemment, nous avions crié un peu fort.

— Qui sont ces drôles de dames ? Et comment connaissent-elles mon prénom ?

Il s'est tourné vers sa bande de folles du disco en ordonnant :

— Allez-y, les Disco Girls, neutralisez-les !

Les harpies en pantalons pattes d'ef – les « Disco Girls », pardon – se sont jetées sur nous. Elles ne savaient visiblement pas que nous étions formées à toutes les tech-

niques de combat possibles et imaginables.

Il ne nous a pas fallu longtemps pour les envoyer au tapis. Et, croyez-moi, elles n'avaient pas l'air fier avec leurs brushings tout aplatis.

Jerry a paru contrarié.

— Vous émettez des vibrations négatives, je vais devoir vous calmer un peu.

Il a levé la main, révélant une affreuse chevalière multicolore.

J'ai tenté de le raisonner :

— Enfin, Jerry, vous n'allez tout de même pas utiliser un gadget contre nous !

— Et pourquoi pas ? Vous allez goûter au rayon destructeur de ma nucléobague !

Il l'a pointée sur nous en esquis-

sant un pas de danse ridicule : il s'est déhanché, les bras en l'air... et la bague lui a échappé !

— Oh non ! Pas cool ! s'est-il exclamé.

Discrètement, Alex a ramassé la chavalière et l'a glissée dans sa poche, tandis que Jerry brandissait un autre gadget. Le magnétophone à cassettes, cette fois.

— Vous comptez nous paralyser avec une compil des plus mauvais tubes disco, c'est ça ? a demandé Clover.

Mais elle avait tort de plaisanter car le magnétophone s'est révélé très efficace. La bande de la cassette a jailli dans les airs comme un lasso, s'est entortillée autour de nous trois et nous nous sommes retrouvées bêtement ligotées.

Alex a tenté d'amadouer notre chef bien-aimé :

— Jerry, qu'est-ce qui vous prend ? On travaille pour vous !

— Ben oui, a enchaîné Clover, on est vos meilleurs agents. Et les plus mignonnes aussi.

Jerry n'avait vraiment pas l'air de comprendre ce qu'on racontait. J'ai voulu lui expliquer :

— Nous sommes les Totally

Spies, des espionnes venues du futur. Voyons... Nous sommes en 1975, ça veut dire que vous ne devriez pas tarder à fonder le WOOHP...

Il m'a coupée :

— Si vous avez entendu parler de cette organisation top-secrète, c'est forcément que vous venez du futur. Double-D et moi, nous venons de mettre la touche finale au projet.

— Double-D ? a répété Clover.

— Oui, Disco Dave, le cerveau du WOOHP et l'inventeur de la machine à voyager dans le temps. D'ailleurs, vous allez bientôt faire sa connaissance, je l'entends arriver...

Chapitre 6

17h30
Dans un entrepôt de Los Angeles

Effectivement, dans un terrible grondement de moteur, un gars avec une énorme touffe de cheveux (genre Michael Jackson à dix ans) a débarqué dans l'entrepôt sur une grosse moto violette. Bonjour la frime !

Il a tapé dans la main de Jerry.

— Salut, mon frère ! Alors ces ringards en costume du futur t'ont pas causé trop de problèmes ?

— Tout s'est passé comme sur des roulettes, a répondu Jerry. On a assez de matériel pour fabriquer des gadgets de pure folie ! Et le nouveau projecteur de nuage spatio-temporel est encore mieux que le prototype.

— T'es un as, mec ! Mais c'est qui, ces p'tites nanas ?

— Des espionnes venues du futur, paraît-il. Je te les confie. Méfie-toi, elles sont coriaces !

— T'en fais pas, mec. Je m'occupe de tout. Va préparer le van qu'on puisse se tirer de cette zone temporelle.

Alex, Clover et moi, nous nous sommes regardées, éberluées. On n'y comprenait plus rien. Visiblement, Jerry se faisait manipuler. C'était n'importe quoi : nous savions parfaitement que c'était Jerry qui avait fondé le WOOHP et pas Double Dédé ou je ne sais qui.

Mais notre chef bien-aimé est parti sans nous jeter un regard, nous laissant entre les griffes de

son complice avec sa coupe Afro et son costume disco.

Il nous observait avec un sourire moqueur.

— Alors qu'est-ce que vous faites là, petites fouineuses ?

— Nous sommes des agents du WOOHP, nous venons chercher Jerry pour le ramener à notre époque, ai-je rétorqué. Nous savons très bien que c'est lui qui a inventé le WOOHP et la machine à voyager dans le temps, pas vous !

— Ouh là, ouh là, on se calme ! Vous avez raison, c'est lui qui a tout inventé. Mais moi, j'ai eu l'idée géniale de tout lui voler, yeah ! a répliqué l'autre en tournant sur lui-même.

— Qu'est-ce que c'est que cette histoire ? a demandé Alex.

— Moi aussi, je travaillais au WOOHP. J'en ai profité pour dérober un prototype de machine à voyager dans le temps que j'ai ramené dans le passé. Juste avant que Jerry fonde le WOOHP. À l'époque bénie des années 70 ! Car c'est moi Disco Dave, le roi du disco !

Là, il s'est mis à gesticuler dans tous les sens en fredonnant un tube de l'époque (avec beaucoup

de « ha-ha-ha » et de « hou-hou-hou »).

Moi, j'avais envie de connaître la fin de son histoire :

— Oui, enfin, vous n'avez pas fait tout ça juste pour l'amour de la danse, j'imagine !

— Non, tu as raison, petite sœur. Maintenant que je possède le WOOHP, je vais en faire la plus grande organisation criminelle de l'histoire, yeah ! Grâce à la machine, nous pouvons aller dans le futur récupérer du matériel pour créer des gadgets toujours en avance sur leur temps. Personne ne pourra nous arrêter !

Il a appuyé sur un bouton et une sorte de poulie nous a hissées au-dessus d'un affreux tapis tout poilu, violet et rose.

Alex était rouge de colère.

— Si, nous ! On ne va pas se laisser faire. On est des super espionnes !

— Oui, mais moi, j'ai un super tapis, yeah ! a répliqué Disco Dave.

Clover a haussé les épaules.

— Et alors ? À part sa couleur écœurante, je ne vois pas ce qu'il a de dangereux, ce machin.

— C'est le tapis le plus moelleux du monde. Une fois que vous serez profondément enfoncées au creux de ses fibres, vous ne pourrez plus respirer... alors bye-bye, les espion-

nes ! Allez, je vous laisse mourir en paix. Mais n'oubliez pas : Disco pour toujours !

Et il a disparu en chantonnant :

— *Staying alive, staying alive. Ha-ha-ha-ha ! Staying aliiiiiiiiive !*

— Qu'est-ce qu'il raconte ? a demandé Alex.

— C'est une chanson des années 70. Ça veut dire « rester vivant », a expliqué Clover. À l'époque,

c'était hyper à la mode. Tout le monde dansait là-dessus, c'était la fièvre du samedi soir, la fièvre du disco...

Je l'ai coupée dans son élan poétique :

— Justement, moi, j'aimerais bien rester vivante. Qu'est-ce que vous en dites, les filles ?

— J'ai la bague de Jerry, s'est souvenue Alex. Si j'arrive à la sortir de ma poche... Ah, voilà ! Comment ça marche ?

Wizzz ! Un rayon est sorti de la bague et a détruit le tapis aux longs poils violets. Re-wizzz ! Il a coupé la corde où nous étions suspendues. Et re-re-wizzz, il nous a libérées de nos liens.

— Bien joué, Alex ! l'ai-je félicitée.

— Elle est pas mal, cette bague finalement, a commenté Clover.

J'ai entraîné les filles jusqu'à une drôle de machine qui ressemblait un peu à un aspirateur géant. J'avais vu qu'ils avaient la même à l'intérieur du camion.

— Voilà le prototype de projecteur de nuage spatio-temporel. J'espère qu'il fonctionne... et qu'il va pouvoir nous ramener à notre époque, et pas à l'âge de pierre !

Lorsque j'ai appuyé sur le bouton, une épaisse fumée rouge s'est échappée de la machine et nous a enveloppées. Nous avons à peine eu le temps de tousser que...

— Aaaaaaaah ! Elle nous emporte !

18h00
Disco Roller, Los Angeles

Nous nous sommes retrouvées – un peu secouées mais à peine décoiffées – au beau milieu d'une piste de danse. En pleine « fièvre du samedi soir », justement. Boule à facettes, jeux de lumière et tout et tout.

— Oh non ! s'est exclamée Clover. J'espère qu'on n'est pas

restées coincées dans les années 70 ! Regardez comment ils sont habillés.

— Non, ai-je rétorqué, je crois plutôt qu'on est au fameux Disco Roller, le club de patinage qui a remplacé le WOOHP.

— Ah, je vois... Disco Dave essaie de relancer la mode du disco dans les années 2000, c'est criminel ! a affirmé Clover.

Les danseurs tournoyaient autour de nous, sur leurs rollers, au rythme de vieux tubes disco.

— Oh ! Et vous avez vu le DJ ? s'est écriée Alex.

Nous avons levé les yeux vers la cabine vitrée du disc jockey.

— Jerry ! me suis-je exclamée. Vite, c'est le moment ou jamais d'aller lui parler.

En nous voyant arriver, Jerry aurait voulu nous atomiser d'un coup de nucléobague. Sauf qu'il ne l'avait pas retrouvée ! Avec une prise de kung-fu dont elle a le secret, Alex l'a immobilisé sur son fauteuil. Clover a secoué la tête.

— Vous comptez trop sur vos gadgets, Jerry !

— Désolée, ai-je fait en me plantant face à lui. On essaie de vous remettre un peu les idées en place.

Le pauvre Jerry se débattait comme un diable en hurlant :

— Vous ne vous en tirerez pas comme ça ! Mes agents du WOOHP vont vous arrêter !

— Mais c'est nous, vos agents du WOOHP, Jerry ! s'est emportée Clover. Et Double-D ne veut pas dire Disco Dave mais Dangereux Détraqué.

— C'est vous qui avez inventé la machine à voyager dans le temps. Double-D vous l'a volée ! ai-je renchéri.

— Il s'est fichu de vous, a enchaîné Alex en tirant de sa poche la photo que nous avions trouvée dans la voiture. Regardez, c'est à ça que ressemble le présent. Vous voilà avec nous au dernier réveillon.

Jerry a contemplé la photo, effaré. Les yeux lui sortaient presque de la tête. Pour un choc, c'était un choc !

— Oh, ben ça alors ! Où sont passés mes cheveux ?

Mais il n'a pas eu le temps de s'étendre sur le sujet, car Double-D est entré dans la pièce.

— Oh, oh ! Une fête privée dans la cabine de mon DJ, yeah !

— La soirée disco est terminée, a riposté Clover. Jerry est de notre côté dorénavant.

Double-D a éclaté de rire.

— Ha-ha ! Elle s'énerve, l'espionne de choc ! Vous pouvez le garder, votre Jerry chéri, maintenant que j'ai tous ses gadgets ! Bon, je vous laisse. J'ai fait installer une toute nouvelle machine à fumée dans la cabine. Vous allez

voir, c'est dément ! Amusez-vous bien. Et surtout : Disco pour toujours !

Et il est reparti en nous enfermant à clé. Aussitôt, la pièce a commencé à se remplir de fumée rose et épaisse. On suffoquait.

Entre deux quintes de toux, j'ai hoqueté :

— Dites-nous que vous avez des gadgets, Jerry !

— Euh... il y a bien une paire de rollers, là, mais je ne sais pas si...

— Alex, la nucléobague !

Elle a brandi le bijou et dirigé le rayon vers la porte, BOUM !

Les danseurs se sont écartés, terrorisés, tandis que nous sortions comme des furies.

— Vite, il faut rattraper Disco Dave ! ai-je ordonné.

Mais il était à l'autre bout de la salle et, pour le rejoindre, il fallait se frayer un chemin parmi les patineurs affolés. En nous voyant foncer sur lui, il a sorti une télécommande de sa poche et l'a pointée vers la boule à facettes. Elle est descendue du plafond et s'est ouverte devant lui. L'intérieur était aménagé comme une sorte de capsule spatiale.

— Oh non ! Il va s'échapper ! a gémi Alex.

— Attendez ! est intervenu Jerry. Laissez-le partir, ce n'est pas grave.

Clover s'est retournée pour le regarder avec des yeux ronds.

— Ça ne vous réussit vraiment pas les voyages dans le temps, Jerry !

— Si, j'ai une bien meilleure idée : je vais régler la machine pour qu'elle vous emmène quelques minutes avant que je croise le chemin de Double-D. Une fois dans le passé, il ne vous restera plus qu'à empêcher que la rencontre se produise !

Ça, c'était vraiment un plan génial. Digne de notre grand chef. Nous l'avons tout de suite mis à exécution.

Chapitre 8

1974
Dans une rue de Los Angeles

Nous avons donc réglé la machine et nous sommes reparties dans le passé, cap sur 1974. Notre chef bien-aimé (toujours aussi jeune et chevelu) se baladait en sifflotant dans la rue (un air disco, bien entendu), les mains dans les poches.

Autant vous dire que lorsqu'il a vu le gros nuage de fumée rouge apparaître sous son nez et trois filles superbes en sortir, il a écarquillé les yeux.

— Alors là, j'hallucine ! Des nanas surgissent de nulle part, maintenant !

Mais nous ne lui avons pas laissé le temps de s'extasier. Nous l'avons attrapé par le col, le Jerry, et

ramené illico presto dans le présent, malgré ses protestations :

— Hé, ho ! Doucement, vous me faites mal ! C'est pas cool, man !

Il n'a donc jamais croisé la route de ce sinistre Double-D. Qui ne lui a jamais volé la machine, etc. Ouf !

Mais tout n'était pas rentré dans l'ordre pour autant, car le quartier général du WOOHP était toujours transformé en boîte de disco ringarde. Comment allions-nous pouvoir changer cela ?

En plus, il y avait un léger problème : quand nous sommes revenus dans le présent, Jerry s'est retrouvé nez à nez avec Jerry !

— Deux Jerry en même temps, c'est possible ? a demandé Clover, perplexe. Ça risque d'être un peu pénible, non ?

Mais lorsque Jerry et Jerry se sont retrouvés face à face, il s'est produit quelque chose d'étrange. Ils se sont toisés, un peu étonnés (on les comprend). Puis ils ont voulu se toucher du doigt...

Et là, il y a eu un grand éclair, un grand bruit, une grande secousse... et nous nous sommes retrouvées dans les bureaux du WOOHP.

Oui, oui, notre WOOHP. Un

immense gratte-ciel tout beau, tout moderne, surmonté d'un W, comme WOOHP.

J'ai regardé autour de moi. Tout y était : le bureau de Jerry, l'écran géant, la banquette, Gladis...

— On dirait que tout est revenu à la normale, ai-je constaté. Mais où est passé Jerry ?

Quelqu'un a répondu, dans mon dos :

— Je suis de retour, les filles !

Effectivement, il était là, avec son costume gris, sa petite moustache et son crâne dégarni.

— Ah, notre bon vieux Jerry ! s'est exclamée Alex.

— Oui, ce bon vieux Jerry... Dommage, j'aurais bien gardé mes cheveux, a-t-il noté avec une pointe de nostalgie dans la voix.

— Pas de regret, Jerry. Cette coupe ne vous allait pas très bien, a assuré Clover.

— Juste une petite question, suis-je intervenue. Tout est comme avant ?

— Oui, tout est rentré dans l'ordre. Le projet voyage temporel a été abandonné, ou plutôt il n'a jamais été initié... Enfin, c'est compliqué !

— Et qu'est devenu Double-D ?

— Il s'est reconverti dans la brocante. Il collectionne les vieux gadgets. Enfin, j'ai tout de même gardé cette bague, a précisé Jerry en nous montrant sa nucléobague. Très élégante, vous ne trouvez pas ?

J'ai hoché la tête.

— Et très pratique aussi !

Chapitre 9

19 h 00
Centre commercial de Beverly Hills

— Ah ! Quel bonheur de retrouver notre centre commercial adoré ! me suis-je exclamée en prenant l'escalator avec Alex.

— C'est bête, on a raté les soldes... Tant pis, on les fera une prochaine fois.

— Oui, on a tout notre temps, ai-je confirmé. De toute façon, je

395

n'aime pas tellement la mode de cet été. Ça fait trop années 70.

Alex m'a donné un coup de coude.

— Hé, regarde ! C'est Mandy et sa mère !

Devant nous, en effet, une mère et sa fille se disputaient.

— Dépêche-toi, Mandy. J'aimerais acheter un flacon de patchouli avant la fermeture.

— Oh, maman ! Quand vas-tu te décider à changer de parfum ? Le patchouli, c'était bon dans les années 70.

— Je t'ai déjà dit de ne pas m'appeler maman. Appelle-moi Janice, c'est plus cool. Et je te signale que le patchouli éveille ta conscience au monde et...

Nous avons pouffé.

— Pauvre Mandy, ça ne doit pas être facile tous les jours, ai-je remarqué.

Arrivées en haut des escalators, nous avons aperçu Clover à la cafétéria.

— Ben, qu'est-ce que tu fais là toute seule ? ai-je demandé, surprise. Je croyais que tu avais cinquante rendez-vous aujourd'hui.

— Oui, j'ai rendez-vous. Léo

devait me retrouver ici il y a deux heures, a répondu Clover, très calme.

— Deux heures ? a répété Alex. Et tu n'es pas furieuse ?

— Pas du tout. Il faut laisser à la relation le temps de s'installer, tu sais.

Je n'en revenais pas.

— Mais... je croyais que tu étais la reine du rendez-vous flash express ?

Clover s'est étirée paresseusement.

— C'est complètement dépassé, maintenant. La nouvelle tendance, c'est de prendre son temps, les filles !

Alex a secoué la tête en gémissant :

— Alors, là, c'est moi qui suis complètement dépassée !

Le Cirque
de la peur

Chapitre 1

10 h 55
Villa des Spies, Beverly Hills

Je ne sais pas chez vous, mais chez les Spies, le samedi matin, c'est grasse matinée illimitée, suivie d'une bonne heure dans la salle de bains pour enchaîner gommage, masque, épilation et brushing. J'étais donc sous la douche, en train de chantonner mon tube

préféré dans un nuage de vapeur… quand, tout à coup, la porte s'est ouverte. J'ai entendu brailler :

— *Beverly Hills et ses filles de rêve*, première ! Ça tourne !

— Mais… quoi… que… qu'est-ce… ? ai-je balbutié.

— Ne t'inquiète pas, chérrrie, a roucoulé une espèce de bon-

homme en costume à paillettes. Fais comme si la camérrrra n'était pas là !

C'était facile à dire. Imaginez-vous la scène : vous êtes tranquille en train de siffloter sous la douche quand, soudain, une équipe de tournage complète débarque dans la pièce armée de caméras, micros, appareils photos…

J'ai glissé une main hors de la cabine de douche pour attraper une serviette, histoire de conserver le peu de dignité qui me restait. Puis je les ai chassés et je leur ai claqué la porte au nez. Non, mais !

Après ça, pour échapper à leurs griffes, je suis sortie par la fenêtre, j'ai fait le tour de la maison (toujours enroulée dans ma serviette), je suis rentrée par la porte et j'ai

foncé dans la chambre de Clover.
J'étais sûre qu'elle était derrière
tout ça.

Et je ne m'étais pas trompée car
j'ai vu Alex arriver en furie.

— J'étais au beau milieu d'un
rêve merveilleux quand cette
bande d'excités a débarqué dans
ma chambre, j'attends une explica-
tion.

— Oui, qu'est-ce que c'est que ce cirque, Clover ? ai-je renchéri.

Nous étions toutes les deux face à elle, les poings sur les hanches.

— Surprise ! a-t-elle annoncé avec un grand sourire. Figurez-vous que je nous ai inscrites à l'émission *Beverly Hills et ses filles de rêve* ! Hans et son équipe vont filmer notre vie nuit et jour.

Alex n'en croyait pas ses oreilles (et moi non plus, d'ailleurs).

— Quoi ?!? Tu nous as inscrites à cette émission de téléréalité profondément débile sans notre accord ?

— Ça n'a rien de débile ! a répliqué Clover. La preuve, c'est le programme qui réalise le meilleur taux d'audience auprès des ados. Mandy va être verte de jalousie !

J'ai fermé les yeux, pris une profonde inspiration, compté jusqu'à dix… Il s'agit d'une technique de yoga pour retrouver son calme, mais visiblement elle ne fonctionne pas parce que j'ai HURLÉ :

— Tu veux qu'on passe à la télé alors que nous sommes des agents secrets, non mais tu as perdu ton unique neurone ou quoi ?

— Ce n'est pas incompatible, a-

t-elle affirmé. On n'abordera pas le sujet à l'antenne, c'est tout.

C'est alors qu'on a entendu frapper à la porte :

— Les fiiiiillles ? Vous êtes là, mes chérrrriiiiiies ? Vous voulez bien faire visiter vos chambres à notre cher public ?

— Oui, oui, Hans ! Entrez ! s'est écriée Clover en se recoiffant en vitesse.

— Non, mais ça va pas ! ai-je sifflé. Tu as vu dans quelle tenue je suis ?

Mais de toute façon, quand l'équipe de tournage a poussé la porte, ils n'ont trouvé personne... parce que, juste à ce moment-là, Jerry nous a woohpées. Aaaaaaaah !

Chapitre 2

11h30
QG du WOOHP

Nous sommes tombées, tombées, tombées dans un trou sans fin... et nous avons atterri en tas sur la banquette du WOOHP.

Alex en pyjama, moi en serviette de bain et Clover dans sa jolie petite robe verte toute neuve. Je suis sûre qu'elle avait passé des

heures à se pomponner sachant que l'équipe de tournage allait arriver.

En défroissant sa robe du revers de la main, elle a soupiré :

— Bon, je l'avoue, nos débuts télévisuels ont un peu manqué de strass et de paillettes. Mais vous verrez, quand vous aurez goûté à la célébrité, vous ne pourrez plus vous passer des caméras.

Non, mais je rêve !

Heureusement, Jerry l'a vite ramenée sur Terre :

— Mesdemoiselles, ne perdons pas de temps, je vous prie. L'heure est grave !

J'ai toussoté :

— Hum, hum, excusez-moi, Jerry. Mais vous avez vu comment nous sommes habillées ?

Là, il nous a toisées de la tête aux pieds et il est devenu tout rouge (et il n'y avait pas que lui, je peux vous le dire).

— Ah, euh… Oui, en effet. Gladis ?

Un coup de rayon rhabilleur et l'assistante robotique de Jerry nous a revêtues de nos combinaisons d'espionnes.

— Parfait ! a commenté notre chef bien-aimé. Bien, où en étions-

nous ? Ah, oui… Nous assistons à une vague de disparitions inexpliquées dans la région de Toronto.

— Toronto au Canada ? s'est exclamée Alex, les yeux brillants. Vous savez ce que ça signifie ?

— Des balades en barque sur les grands lacs ? a proposé Jerry.

— Non, des crêpes au sirop d'érable ! Miam ! a-t-elle répliqué en se frottant le ventre.

Ça, c'est notre Alex. Un peu surprenante, parfois, mais tellement adorable.

Professionnelle avant tout, j'ai demandé :

— Dispose-t-on d'autres informations sur ces disparitions ?

Un plan de la ville s'est affiché sur l'écran géant, derrière le bureau de Jerry. Les points rouges représentant les personnes disparues étaient regroupés autour d'une sorte de grand terrain vague.

— Apparemment, les disparitions ont eu lieu dans les alentours d'un champ de foire, mais nous n'avons pas davantage d'indices, nous a expliqué Jerry. Maintenant, passons aux gadgets, si vous le voulez bien.

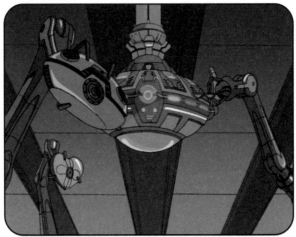

Gladis a alors pris la parole de sa voix de robot :

— Pour cette mission, vous serez équipées de lunettes à détection infrarouge modèle Mata Hari 300, d'une mini-chaîne à désintégrateur ultrasonique et de trois tatoos traceurs au henné.

Clover a levé les yeux au ciel.

— Flash info du mag de la mode : les tatouages sur les avant-

bras c'était tendance au siècle dernier, Jerry !

— Je tâcherai de m'en souvenir, a répliqué notre grand chef, sans perdre son calme. Bonne chance, les filles !

Chapitre 3

12h10
Toronto, Canada

Le jet supersonique du WOOHP nous a déposées à l'endroit indiqué sur la carte... une grande étendue de pelouse. Sale. Constellée de papiers gras, d'emballages de bonbons et de vieux sachets de pop-corn.

— On arrive trop tard, la fête est finie, ai-je constaté.

Clover s'est baissée pour ramasser un ticket qui volait au vent.

— Cirque Diablo, a-t-elle déchiffré. Eh bien, ça ne fait pas tellement envie.

Alex a hoché la tête.

— Ouais. Moi, si j'avais un cirque, je l'appellerais le cirque Rigolo, quelque chose comme ça.

— Ou le cirque Clowno, a proposé Clover. Attends, non... le cirque Circo ! Pas mal, hein ?

Je les ai coupées :

— Très intéressant, les filles, mais je vous rappelle qu'on est en mission. Des gens ont disparu et on est censées les retrouver !

J'ai bien vu qu'elles faisaient la grimace dans mon dos, mais je m'en moquais. Quand on est aussi sérieuse et pro que moi, on passe

souvent pour une rabat-joie, c'est la rançon de la gloire.

Je me suis éloignée un peu, j'avais repéré quelque chose qui brillait dans l'herbe.

Un éclat de miroir ! Je me suis penchée pour le prendre et...

— AAAAAAH ! AAAAAAH ! Quelle horreur !

— Quoi ? Qu'est-ce qui se passe, Sam ?

Alex et Clover ont volé à mon secours… et elles se sont mises à hurler également :

— AAAAAAH ! AAAAAAH ! Qu'est-ce que c'est que ça ?

Au bout de mon bras, là où, logiquement, aurait dû se trouver ma main, avait poussé une pince. Une pince de crustacé ! Rouge.

D'habitude, je conserve mon sang-froid quelles que soient les

circonstances, c'est une de mes qualités, mais là, c'était trop. J'ai éclaté en sanglots.

Clover a tenté de me prendre dans ses bras, mais ce n'était pas facile, à cause de la pince.

— Sammie, qu'est-ce qui t'est arrivé ?

— Je-je-je ne sais pas. J'ai... j'ai touché ce truc et... et voilà...

— Mais... euh... ça va ? s'est inquiétée Alex. Comment tu te sens ?

— Comme un homard dans un plateau de fruits de mer.

— Ah...

Du coup, elle a saisi l'éclat de miroir avec une pince.

— Je vais l'envoyer à Jerry pour analyse.

— Comment vais-je faire ? ai-je

gémi. Je ne peux pas retourner au lycée comme ça ! En plus, on a une interro de maths dans vingt minutes !

— Ne t'inquiète pas, je vais trouver une solution, m'a assuré Clover. Les amies, c'est fait pour ça.

Chapitre 4

13 h 28
Lycée de Beverly Hills

Tu parles ! La solution géniale de Clover, c'était… Devinez quoi ? De me prêter une moufle ! Si, je vous assure. Elle a fouillé dans son casier pendant dix bonnes minutes et en a exhumé, triomphante, une vieille moufle en laine. Rose bon-bon.

— Ah, je savais bien que j'avais ce qu'il te fallait. Merci qui ? Merci, Clover.

Alex a toussoté.

— Hum… si j'étais toi, j'éviterais d'en faire trop, Clover. Parce que voilà Hans et son équipe de télé.

Je les avais oubliés, ceux-là. J'étais complètement paniquée.

— Hein ? Quoi ? Ils nous ont sui-

vies jusqu'ici ? Mais qu'est-ce que je vais faire ? ai-je bafouillé en cachant ma pince dans mon dos.

— Ah, voilà nos filles de rêve ! Alors, racontez-nous un peu votre vie de lycéennes. Je suis sûr que nos chers amis meurent d'envie de connaître vos secrets les plus intimes.

— Alors là, ils vont être servis, ai-je soupiré.

— J'espère qu'ils aiment les fruits de mer, a murmuré Alex.

J'ai enfilé discrètement l'horrible moufle rose pendant que Clover faisait son petit numéro :

— Salut ! Moi, c'est Clover, mais mes amies m'appellent la totale splendeur…

Le tableau n'aurait pas été complet si Mandy n'avait pas choisi ce

moment pour surgir à l'autre bout du couloir.

— Ah, tiens… Je ne savais pas qu'ils avaient changé le concept de l'émission. Maintenant, le titre, c'est *Beverly Hills et ses filles ratées*?

— Très drôle, Mandy. Mais, dis-moi, tu es toute pâle. C'est quoi, ton nouveau fond de teint ? Nuance « Blanche de Jalousie », c'est ça ?

L'ennemie jurée de Clover est repartie en serrant les poings.

— Tu me le paieras cher, je te le promets.

Hans n'avait pas raté une miette de la scène :

— Les disputes, c'est très bon pour l'Audimat, chérie. Bien, bien... Voyons maintenant ce que vos charmantes amies ont à nous raconter.

La main dans le dos, j'ai souri bêtement à la caméra qui était pointée sur moi.

— Qu'est-ce que vous cachez là, mademoiselle ?

— Où ça ?

— Dans votre dos, montrez-nous voir ! a insisté Hans. Est-ce un livre... ou peut-être une anti-sèche ?

— Hein ? Rien, c'est ma main, juste ma main. Mais je suis très très frileuse des doigts !

— Ah oui ? s'est étonné Hans.
Very original. Very fashion, ma
chérrriiie !

— Super, a commenté Clover à
voix basse. Demain, la moitié de
Beverly Hills porte une moufle. Tu
vas lancer une nouvelle mode !

Tout à coup, une sonnerie a
retenti. Ti-du-du… du-du-dut !

Le com-poudrier ! Jerry cherchait à nous joindre.

Aussitôt, Hans a braqué la caméra dessus.

— Mais qu'est-ce que c'est que ça ? Un nouveau jeu électronique ?

— Heu… Non, il s'agit d'un poudrier ultraperfectionné qui sonne quand on a la peau qui brille, ai-je inventé. Ça signifie qu'il est temps d'aller se repoudrer le nez. Immédiatement.

Et, sur ce, j'ai entraîné Alex et Clover dans les toilettes, plantant là notre présentateur gominé.

Une fois à l'abri dans une cabine, la porte verrouillée, nous sommes entrées en communication avec le QG du WOOHP. L'innovation, avec le com-poudrier nouvelle génération, c'est que Jerry apparaît en image holographique en trois dimensions. Et dans certaines

situations, ça peut s'avérer assez...
cocasse ! Là, en l'occurrence, imaginez notre grand chef assis sur la
cuvette des toilettes...

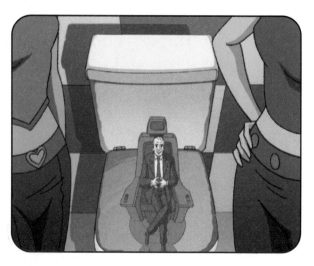

Bref, ce qu'il avait à nous dire
était de la plus haute importance :
— Nos équipes n'ont pas encore
fini d'analyser votre fragment de
miroir, mesdemoiselles. En revan-
che, nous avons localisé un cirque

dont l'emblème est un diable dans les environs de Rio de Janeiro.

— Chouette ! Ça veut dire qu'on part au Brésil. À nous la plage, le soleil, la samba ! s'est exclamée Clover.

— Et les cocktails au lait de coco ! a renchéri Alex en se léchant les babines. Miam !

Une fois de plus, j'ai dû les rappeler à l'ordre :

— C'est très bien, tout ça, les filles. Mais avant de s'envoler vers les plages de sable fin, il faut d'abord sortir d'ici discrètement. Sinon Hans et son équipe de fouineurs vont encore nous tomber dessus.

— J'ai une idée ! s'est écriée Alex.

Comme cela n'arrive pas souvent

(je ne voudrais pas être méchante, mais c'est vrai), je demandais à voir.

Alex a appuyé sur le bouton « Habillage express » du com-poudrier en commandant :

— Trois costumes de cirque, livraison immédiate !

Et nous nous sommes retrouvées déguisées en clowns… Pas vraiment discret mais, au moins, Hans ne risquait pas de nous reconnaître.

Comme d'habitude, Clover a fait des manières :

— Aïe, aïe, aïe ! J'ai pourtant l'habitude des talons hauts, mais j'ai un peu de mal, perchée sur ces échasses !

— C'est à cause de toi qu'on est obligées de se déguiser, je te

signale, Clover ! Alors je te conseille de regarder où tu mets tes grands pieds au lieu de râler, ai-je répliqué.

Ça lui a cloué le bec.

Chapitre 5

15 h 45

Cirque Diablo,
Rio de Janeiro

Lorsque nous sommes arrivées au Brésil, la fête battait son plein.

— C'est étrange, tout ce monde, alors qu'à Toronto nous n'avons même pas croisé un caribou, me suis-je étonnée.

— On dirait que tout le pays

s'est donné rendez-vous ici, a remarqué Alex.

(Pour une fois, Clover ne disait rien. Elle était trop occupée à essayer de ne pas tomber…)

— Normal, ai-je constaté, ils ont mis de la publicité partout, regardez !

J'ai désigné une affiche à l'an-

cienne montrant les différents artistes du cirque Diablo.

— Oh ! a soufflé Alex. L'enfant-pieuvre. L'homme-loup. La femme élastique, qu'est-ce que c'est que ça ?

— Des monstres de foire, ai-je expliqué. Je croyais que ça n'existait plus.

— Tu n'as qu'à te regarder dans une glace, tu verras que c'est furieusement tendance au contraire, a répliqué Clover.

Quelle peste ! J'avais bien envie de lui pincer les fesses ! Mais j'ai préféré rester professionnelle car, malgré le brouhaha de la foule, j'avais entendu des hurlements perçants :

— Non ! Non ! Maman ! Au secours !

En chaussant mes lunettes Mata Hari 300, j'ai aperçu une scène étrange. Un enfant se débattait pour tenter d'échapper à deux étranges énergumènes qui voulaient le forcer à monter dans un manège. Un homme avec un museau de loup et une femme étrangement souple !

— Il se passe quelque chose là-bas. Il faut aller voir ça de plus près.

Aussitôt, les filles se sont élancées vers le manège. Mais moi, j'avais un petit problème technique… Essayez donc d'enfoncer le bouton « Habillage express » de votre com-poudrier avec une pince de homard à la place de la main, vous verrez…

— J'arrive, les filles ! ai-je crié.

Juste le temps de mettre ma combi… Ah voilà !

J'ai couru jusqu'à l'entrée du manège, mais Alex et Clover étaient déjà à l'intérieur. Alors j'ai sauté dans l'une des petites voiturettes, qui a démarré à fond de train, m'emprisonnant avec une ceinture de métal. Aaaaaaah !

C'était affreux. Pour pénétrer dans l'attraction, on passait d'a-

bord dans la gueule d'un clown au rictus sinistre. Ensuite, c'était une succession de virages, à droite, puis à gauche, de montées, de descentes, de boucles et de loopings dans le noir total. Des cris résonnaient dans le vide, quelle angoisse ! Une vraie descente aux enfers !

Où tout cela nous menait-il ?

Chapitre 6

17h15
Dans la galerie
des glaces

Contre toute attente, après nous avoir bien secouées, le train a brusquement ralenti. Nous avons débouché dans un décor radicalement différent. Tout, absolument tout, du sol au plafond, était recouvert de miroirs.

J'ai entendu Clover qui s'exta-

siait, trois ou quatre voiturettes
devant moi :

— Waouh ! Génial ! On se croirait dans la galerie des glaces du
château de Versailles. Je me vois
partout. Des milliers de mini
Clover… J'adooooore !

Perché sur une estrade, un
homme en queue-de-pie rouge

nous a accueillies avec un petit dis-cours :

— Bienvenue au cirque Diablo ! J'espère que vous avez bien profité de ce tour de manège, parce que, lorsque vous en descendrez tout à l'heure, vous aurez changé d'enve-loppe corporelle.

— Ma parole, ce type déclame les vers d'un poète russe mal tra-duit ou quoi ? a bougonné Clover. Parce que moi, je n'ai pas compris un mot de ce qu'il a dit !

Sans se démonter, il a poursuivi :

— Quand j'étais petit garçon, je me produisais sous le nom de l'en-fant-pieuvre.

Là, il a ouvert un bouton de sa redingote, libérant une paire de bras supplémentaire. Oui, vous avez bien compris. Notre homme

avait quatre bras. C'était donc lui,
le gamin représenté sur l'affiche !

— Nous avons perpétué la tradi-
tion des monstres de foire de génération en génération. Mais maintenant, les gens préfèrent ces
maudits manèges à sensations…
Heureusement, je vais remédier à
cela ! a-t-il annoncé avec un sourire démoniaque. Je vous invite à

traverser le miroir pour devenir vous-mêmes des monstres de foire. Ensemble, nous donnerons naissance à l'attraction la plus phénoménale de tous les temps !

— Euh, je crois que le monsieur a oublié de prendre ses gouttes, a murmuré Alex.

Mais elle a vite arrêté de plaisanter parce que le train s'est remis en marche, il fonçait droit vers une immense glace…

— Bon voyage, a ricané l'homme-pieuvre.

— Oh non ! On va être transforméééééééeeeees !

Pas question de repasser au travers du miroir. Moi, j'avais déjà ma pince, merci ! Comme j'étais derrière, j'ai eu le temps de couper la ceinture qui me retenait (bien pra-

tique pour le coup, cette pince, il faut l'avouer), de m'extirper de la voiturette et de bondir hors du manège, propulsée par mon jet-sac à dos.

— Ne vous en faites pas, les filles ! Je reviens vous sauver !

J'ai juste entendu des voix étouffées, car Alex et Clover étaient passées de l'autre côté.

— Blub !... Ça sent le poisson...

— Pas édonnant, Alex, d'as des écailles bardout... bais, qu'est-ce que z'est que za ?

— Blub... Tu as une trompe d'éléphant, Cloblub !

Quel cauchemar ! Il fallait à tout prix que je contacte Jerry.

Une fois sortie de ce cirque, j'ai immédiatement appelé le WOOHP avec mon com-poudrier.

— Ah, Sam ! s'est exclamé notre grand chef. J'ai reçu les résultats d'analyse. Le miroir que vous m'avez envoyé est constitué d'un alliage de mercure capable de modifier l'ADN humain.

— C'est comme ça que Lapieuvre transforme les gens en monstres… Il faut absolument l'arrêter, ai-je rétorqué, plus vive que jamais.

— Oui, mais faites vite, car le cirque se déplace à une allure prodigieuse.

Effectivement, Jerry avait à peine prononcé ces mots que la fête

foraine – chapiteau, manèges et baraques de foire comprises – s'était tout simplement volatilisée.

Chapitre 7

19h34
Cirque Diablo, Paris

Heureusement, il me suffisait de repérer le signal des tatoos-traceurs au henné sur mon com-poudrier, pour retrouver Alex et Clover. Facile ! Je n'ai eu qu'à traverser la moitié du globe… car le cirque Diablo avait planté son chapiteau dans la charmante ville de Paris.

Perchée sur un toit, j'ai pu observer ce qui se passait dans l'enceinte de la fête foraine. Les gens se pressaient à l'entrée du manège, sans se douter de ce qui les attendait. Ma mission était double : libérer les Spies (ou ce qu'il en restait) et arrêter le projet dément de Lapieuvre. Si j'avais bien compris, mes amies devaient maintenant se trouver à l'intérieur du cirque, prêtes à être montrées en spectacle.

Je me suis faufilée discrètement sous la toile du chapiteau. J'avais vu juste : elles étaient là, enfermées dans une cage ! Ma petite Alex couverte d'écailles bleues... et Clover affublée d'une tête d'éléphant, avec les oreilles et la trompe, bien sûr !

— Me voilà, les filles ! ai-je chuchoté. Je viens vous libérer.

Et d'un coup de pince bien senti, j'ai fait sauter le verrou de la cage.

— Z'est bas drop dôt ! a marmonné Clover (sa trompe d'éléphant la faisait parler du nez).

— Excusez-moi, Votre Majesté éléphantesque, il m'a quand même fallu traverser la terre entière pour vous retrouver !

— Blub ! Merci, Sam ! Viens que je te serre… blub… la pince !

— Tout doux, mon petit poisson. Ne me fais pas bisquer sinon, je te tire les nageoires. Bon, vous avez du nouveau concernant notre ami Lapieuvre ?

Clover a acquiescé avec la trompe. (Ça faisait bouger ses oreilles. C'était drôle, mais je me

suis bien gardée de rire, évidemment.)

— Disons qu'il semble nourrir de grandes ambitions…

— Des ambitions tentaculaires, si j'ose dire ! Il ceinture les spectateurs sur leur fauteuil pour leur faire traverser le miroir, a expliqué Alex en soulevant le coin du rideau de scène.

Le chapiteau était plein à craquer. Et tous ces gens allaient se retrouver transformés en monstres ! Un par un, les fauteuils, montés sur des rails, quittaient le rang pour se diriger vers les miroirs déformants.

J'étais en train de réfléchir à un plan quand, soudain, j'ai entendu un retentissant :

— Ah, voilà mes filles de rêêêve !

Hans. Suivi de toute son équipe, bien sûr.

— Oh, non, c'est pas vrai. Pas lui ! ai-je soupiré. Comment a-t-il fait pour nous retrouver ?

Je me suis tournée vers Clover et je l'ai fusillée du regard. Alex lui a tiré la trompe.

— Ne me dis pas que tu les as appelés ?

— Ben…, a-t-elle bafouillé. Je me suis dit qu'une aventure pareille pouvait intéresser le public…

— Et tu comptes jouer quel rôle ? ai-je riposté. Ah, je sais : Elephant Woman, bien sûr !

Hans nous tendait déjà le micro :

— Un voyage express à Paris, on ne peut pas faire plus glamour, mais, dites-moi, pourquoi avoir choisi ces étranges costumes ?

— Oui, pourquoi ? Vous faites partie du spectacle ? a grincé le directeur du cirque, surgissant dans les coulisses, un sourire mauvais aux lèvres.

Nous étions coincées : d'un côté M. Gomina et ses questions idiotes, de l'autre Lapieuvre, qui faisait tournoyer sa canne dans ses quatre mains… Il fallait faire quelque chose !

— Je sais ! me suis-je exclamée. Coupez le courant.

Clover s'est jetée sur le disjoncteur.

— Il est trop dur, je n'arrive pas à abaisser la manette.

Alex et moi, nous sommes venues à la rescousse… Et pouf ! le chapiteau s'est retrouvé plongé dans l'obscurité totale. Le manège maléfique s'est arrêté. Hans ne

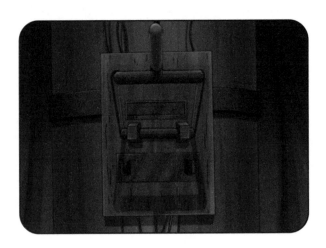

pouvait plus filmer. Et Lapieuvre ne pouvait qu'agiter ses quatre bras dans le noir, furieux.

Heureusement, nous, nous étions équipées des lunettes à détection infrarouge de Jerry... qui nous ont permis de voir le directeur du cirque se diriger à tâtons vers un gros engin qui, dès qu'il l'a touché, s'est mis à bourdonner aussitôt. Et la lumière est revenue.

— Mince, il a un générateur électrique !

— Évidemment, vous me prenez pour qui ? Je suis l'homme-pieuvre, pas une simple crevette ! Maintenant, on va régler nos comptes, mesdemoiselles !

Quand on est en mission, il faut savoir prendre les décisions qui

s'imposent. Alors j'ai donné mes ordres :

— Clover, tu distrais ces messieurs de la télé. Alex, tu te charges des miroirs. Moi, je m'occupe de l'agité des tentacules.

Chapitre 8

20 h 00

Sous le chapiteau du cirque Diablo

Il faut croire que je suis assez douée pour commander, parce que les filles m'ont obéi au doigt… enfin à la pince et à l'œil.

Clover s'est débrouillée pour faire entrer Hans et son équipe dans une cage et a commencé à leur raconter sa vie. Alors là, il y en avait pour des heures !

Quant à Alex, elle a eu une idée géniale, la deuxième de la journée.

— Je suis sûre que ces affreux miroirs déformants ne vont pas résister à la puissance de la mini-chaîne à désintégrateur ultrasonique. Ça va pulser !

Mais oui ! Les gadgets de Jerry sont toujours là pour nous sauver la mise. Alex a monté le volume à fond et a appuyé sur le bouton.

— En avant la musique !

Des ondes de plus en plus fortes sont sorties du poste. Aussitôt les miroirs ont commencé à se craqueler, puis ils se sont brisés en mille morceaux.

Lapieuvre bouillait de rage. Sa fabrique de monstres était détruite.

— Vous vous croyez malignes,

hein ? Mais vous n'allez pas vous
en tirer comme ça !

Et il s'est jeté sur moi, en faisant
des moulinets avec ses quatre bras.

Je dois avouer qu'il se défendait
pas mal. Quatre poings au lieu de
deux, ça fait la différence. Mais il
n'avait pas suivi l'entraînement de
pointe du WOOHP.

— Désolée, mais je crois que
vous avez un peu trop de bras pour

bien maîtriser la subtilité des arts martiaux.

Je lui ai fait le double retourné piqué planté du tigre sauvage au fond de la jungle… et il s'est retrouvé les bras noués comme un gros paquet cadeau. Il s'est tellement débattu qu'il a fini par tomber par terre, le nez dans la poussière.

— Au secours ! Je ne peux plus bouger !

— Ah, je vous avais bien dit que vous alliez vous emmêler les tentacules ! ai-je déclaré, victorieuse. Voilà, Jerry n'a plus qu'à venir ramasser le paquet.

— Comme d'habiblub ! s'est exclamée Alex.

— Et Clover, elle est toujours avec Hans ? Je me demande ce qu'elle lui raconte…

Nous nous sommes approchées discrètement.

Notre amie était en pleine conférence de presse. Quant au présentateur, il avait l'air un peu… fatigué. Même ses cheveux impeccablement coiffés avaient perdu de leur brillant.

— Donc, lorsque z'édais en CE 1, z'est dans une fête foraine comme zelle-zi que j'ai rempordé le concours de Miss Barbe à papa.

— Oui, Clover... Mais ça ne nous dit pas pourquoi vous avez choisi ce costume d'éléphant, a protesté vainement Hans.

— Addendez, addendez, z'y arrive ! Puis, au spectacle de Noël de CE2, z'ai...

— Tu crois qu'on devrait abréger les souffrances de ce pauvre

Hans ? m'a demandé Alex, toujours charitable.

— Non, voyons plutôt s'il parvient à terminer son émission.

— Avec Cloblub ? Il n'a aucune chance !

Bien sûr, Jerry est arrivé avec l'énorme avion-cargo du WOOHP. Il est passé devant la tour Eiffel (follement glamourrr !) avant de se poser au pied du chapiteau du cirque Diablo. Et il a décoché sa petite phrase rituelle :

— Vous avez fait du beau travail. Je vous félicite, les filles.

Puis il a embarqué Lapieuvre empaqueté dans sa redingote à bord de son avion et hop ! il est reparti comme il était venu. C'est cool, la vie de chef, quand même !

Chapitre 9

21h00
Villa des Spies, Beverly Hills

Et nous, nous sommes rentrées chez nous… en faisant tout de même un petit détour par le QG pour que les chercheurs du WOOHP nous redonnent un aspect… plus classique, disons.

— En fait, j'avais fini par m'habituer à cette pince. Elle était tout de

même bien pratique, ai-je affirmé.

— C'est ça ! a répliqué Clover. Eh bien, désolée, moi, je préfère mon joli nez en trompette à cette affreuse trompe !

— Hé, Sam ! Puisque les fruits de mer te manquent, tu veux de la mayonnaise avec ton pop-corn ? m'a proposé Alex.

— Ha-ha, c'est follement amusant, poisson volant. Dites, l'émission est à quelle heure ?

— Ça commence dans une minute, a annoncé Clover.

Vite, nous nous sommes installées bien confortablement sur notre canapé pour assister à notre fabuleuse performance dans *Beverly Hills et ses filles de rêve.*

Pendant le générique, Clover ne tenait pas en place.

— Vous imaginez, les filles ?
C'est peut-être le début d'une
grande carrière. Si jamais un pro-
ducteur me remarque et me
demande de jouer dans un film…
Je me vois déjà à la remise des
Oscars, dans une longue robe en
lamé doré…

Je lui ai tapoté la main.

— Ouh là, ouh là ! On se calme.
Allez, regarde l'émission.

Les dernières notes du générique ont résonné et nous avons
entendu l'inimitable Hans annoncer :

— Bonjour, aujourd'hui, *Beverly
Hills et ses filles de rêve* va vous faire

découvrir la vie extraordinaire de l'extraordinaire... MANDY !

Et le visage de cette abominable peste est apparu sur l'écran, tout sourire.

Clover était verte, aussi verte que ma combinaison de Spies. Il faut dire que Mandy est sa pire ennemie. Elle consacre sa vie à lui piquer tous ses petits amis. Ce que Clover lui rend bien, il faut l'avouer.

Et voilà que, cette fois, elle lui avait volé la vedette !

Pendant ce temps, sur l'écran, la voix doucereuse de Mandy susurrait :

— Que voulez-vous, avec mes cheveux soyeux et mon élégance innée, j'ai toujours su que j'allais faire de la télé.

Clover écumait de rage :

— Mais c'est ma réplique, ça ! Elle me prend même mes répliques. C'est honteux !

Comme d'habitude, j'ai essayé de la raisonner :

— Soyons réaliste, Clover. La vie de star n'est pas tellement compatible avec une carrière d'espionne internationale. Et puis, cette aven-

ture nous a appris que ce n'est pas l'apparence qui compte, mais ce qui est à l'intérieur de chacun…

Mais Clover ne m'écoutait pas :

— Pourquoi ils n'ont pas diffusé notre émission ? Surtout pour nous remplacer par… Mandy ! Ça ne va pas se passer comme ça…

Heureusement, Alex a su trouver les mots pour la consoler :

— Bah… Je crois que ça vaut mieux. La vie de star, c'est impossible. Tu ne peux même pas aller faire ton shopping tranquille sans te faire accoster. Alors qu'une

espionne peut dévaliser les boutiques sans être embêtée ! D'ailleurs, qu'est-ce que tu dirais d'une petite virée au centre commercial, ma Clover ?

Retrouve les Spies en Bibliothèque Rose !

Bienvenue dans les archives du WOOHP. Attention, toutes les missions des Spies sont ultra-confidentielles !

On connaît la musique

Créatures féroces

Espionnes contre espions

Très chères mamans

Modèles réduits

Cookies Délices

Un parfum diabolique

Sens dessus dessous

Le camp des stars